バウハウス—モダン・デザインの源流

竹原あき子

緑風出版

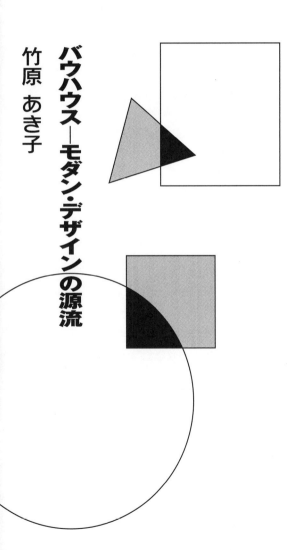

はじめに

バウハウスは、第一次世界大戦直後の一九一九年、敗戦の廃墟から立ち上がろうとドイツで開校し、一九三三年にヒトラーの狂気に倒れ、一四年の命しかなかったデザイン学校だった。

モスクワにあった「ブフテマス」というロシアのバウハウスは、一九三〇年にスターリンが閉じた。

倒れても二つのバウハウスはその思想と教育指針を世界に蒔き、モダン・デザインの力で産業に寄与した。それは優れた教員と教育手法に恵まれたからだ。だがバウハウス以前の産業、ロシア革命、そして二回の世界大戦、社会主義思想、アーティスト（前衛芸術家）ことにロシア構成主義者の奮闘、いや一九二〇年代の崩壊の苦悩なしに、モダン・デザインは生まれなかった。

バウハウス——モダン・デザインの源流／目次

1章 バウハウス——特別な時代の特別な学校

若者の「もうこりごり、こんなことがあってたまるか」から

バウハウスは特別な時代に生まれた。若者は第一次世界大戦で一世代に相当する数の兵士の死とその悲しみに打ちひしがれた。第一次世界大戦と第二次世界大戦のあいだに訪れた束の間の平和にみえた時代にフランスとドイツの若者は「もうこりごり、二度とこんなことがあってなるものか」(plus jamais ça)と憤った。この時代を一九二〇年代生まれのドイツの思想家クルト・ゾントハイマーは「ドイツ史の中で、これほど豊かであると同時に乏しく、大胆であると同時に意気消沈し、創造的であると同時に単純で、開放的であると同時に反動的であった時代は決して存在しなかった」とふりかえる。ワイマール共和国ができた「黄金の二〇年代」は「狂騒の二〇年代(Die Wilden 20er Jahre)」とも呼ばれ、ワイマール文化は魅力と退廃が背中合わせだった。フランスでは「狂乱の時代(les annees folles)」と呼ばれ、前衛の絵画、ダンス、音楽、映画、演劇などであけくれ、戦勝国(フランス

戦死者一三五万）でも敗戦国（ドイツ戦死者一七七万）でも文化は、まさに狂乱、と呼ぶに相応しかった。

もしも第一次世界大戦が勃発しなかったら、バウハウスの創立にかかわったベルギー国籍のアンリ・ヴァン・デ・ヴェルデはドイツから去ることもなかっただろう。そうでなければ、彼は自らが創立しバウハウスの元になったワイマールの美術学校をつづけていたに違いなく、いわばバウハウスの誕生は戦いの代償だったにちがいない。第一次世界大戦という事件さえなかったら、バウハウスは生まれなかった。

モダン・デザインを育んだのは、戦争という惨劇の代償であり、未来への不安がなかったら、過去を捨てよう、過去から逃れてモダンというまだ見ぬ世界に飛びこもうと、若者が奮起するわけがない。その限りではイギリス（戦死者九〇万）には戦後の不況と失業、労働運動はあったが、庶民の娯楽などにかかわる消費は伸び、他のヨーロッパ大陸より社会的な問題は少なかった。

モダンと格闘

一九一九年にバウハウスはワイマールで創立されたものの、まだ学校のカリキュラムもはっきりせず、実績もなかった。バウハウスの創立者で初代学長のヴァルター・グロピウスは、ワイマール市当局から、今後の資金援助に値する学校であることを証明するため、バウハウスのこれまでの成果を示す展覧会を開催し、市民を納得させるように、との申し出を受けた。一九二三年、五〇％予算カットの恐怖のなかで学校を生き延びさせるためにグロピウスは奮闘し「新しい生活」展を開催した。「ハウス・アム・ホルン」となづけた試験的な住宅の展覧会の評判は良くなかった。だがその挽回のために催したオスカー・シュレンマーの主催のダンスだけは好評で、これがバウハウスを救った。

とはいえ、展覧会全般にたいするメディアの反応は賛否両論あったが、たとえそれが批判にみちていたにせよ、バウハウスという名前を市民に、いや国際的に認知させる効果があったことは確かだった。なにしろ二〇〇ページを越える学校を宣伝するカタログが用意されたのが功を奏した。創立まもないのに、二〇〇ページものバウハウス紹介記録本ができあがる、このことこそ奇跡にも近い出来事だった。グロピウスは印刷物がどれだけ効果的なコミュニケーションの手段かを熟知していたのだ。

というのは、広報資料の効果と新聞の記事は、あまり礼儀正しくない服装でたむろするバウハウスの学生に不安を抱く市民を、メディアがある程度払拭し、バウハウスの教育内容の新しさを認めさせるに充分だった。

バウハウスほどメディアを有効に使った学校は他にないだろう。この時代の世論は新聞がつくっていたようなものだった。ドイツの一九二八年時点での日刊紙の種類は三〇〇〇を越したほどだった。グロピウスのいまにつながる栄光の一旦は、膨大な広報資料を有効に使ったことにもある。

ワイマールはゲーテやシラーを輩出したブルジョワ都市であり保守的な街だった。バウハウス開校の数カ月後、市民は「バウハウス人」を「よそ者」ととらえた。保守的な市民にとって「ハンブルクやベルリンのようなろくでもない街から、突然学生たちが流れ込んできて」「ゴシック建築の聖堂騎士団教会の屋根によじ上って日光浴を好み」とメディアが悪口を書いたように、学生の行儀は悪かった。男性は長髪、女性はボブカットと男と女が逆になり、アンチ・ブルジョワで、ボロの重ね着だった。これらが品の良い市民をいらだたせた。これに対しグロピウスは貧しい学生に軍隊ストックから手直して衣服を支給した。それにも増して一九二〇年代は食べ物にも困るほど学生は貧しかった。

デッサウ「ハウス・アム・ホルン」のデザイナー

バウハウス最初の展覧会用の住宅「ハウス・アム・ホルン」は中央の部屋の廻りに工作室、男性の部屋、トイレとバス、女性の部屋、子ども部屋、ダイニング、台所、客間、が取り囲むレイアウトだった。「ハウス・アム・ホルン」は、建築家ではなく、バウハウスの予備コースのマイスターであり、後に織り工房の責任者になったゲオルク・ムッシュが設計した（後にバウハウスを去り、イッテン・シューレの教員になる）。レイアウトは、かつての中流家庭の住宅では廊下あるいは通路に沿ってドアで締め切った個室が並ぶ、壁で仕切られた箱形レイアウトだったが、それを変えて、モダンを志向する建築家が出入り自由で柔軟に広くも、狭くもなる空間にしたのだ。

インテリアはマルセル・ブロイヤーがリビングルームと「レディースルーム」の家具をデザインし、マルタ・エルプは敷物を織り、バウハウスのマイスター、モホリ＝ナジは「男の部屋」の照明デザインをした。教員、学生、元学生達の手ですべてが設計され、すべてのワークショップが協力し、住宅、インテリア、家具、設備建設に協力する共同作業というグロピウス理想の実現だった。わずか四カ月しかなかった工事期間で「ハウス・アム・ホルン」は、バウハウスの存在意味を市民に、いやワイマール市に知らせる役割を果たし、バウハウスの理念を市民にしめすチャンスとなった。

そのために建物の壁と天井の構造は、セメント結合スラグコンクリートの軽量ブロックで、その間に断熱材を入れた組積造壁だからスリムでエネルギー効率が高く、輸送と暖房費が節約できた。ハウス・アム・ホルンは歴史上最初のエコ住宅の一つだった。だが建設途中で構造、工程上の問題がでた。

このハウス・アム・ホルンの台所、ビルトイン・キッチンは注目の的となったが、それをデザインしたのはベニータ・オッテだった（バウハウス展は一九二三年だから、フランクフルトキッチンをマルガレーテ・シュッテリホツキーがデザインした一九二六年の三年前）。

暮らすための空間の家具、照明機器、壁掛け、絨毯、システムキッチンと、必要と思われる大部分がモダンの衣裳を着た建物が、バウハウスの庭に建ち、この前庭で学生たちは自分たちが食べる野菜を育てた。

グロピウス、学生の衣と食と収入のため

グロピウスは、学生達の貧困ぶりを見かねて、寄付や食物を求める手紙を金持ちにあてて数限りないほど書き送っている。一九二〇年、ドイツマルク下落の緊急事態で衣服のない学生のために、軍

服を彼らに支給をせざるを得なかった。もちろん学生食堂のメニューは菜食だった。健康願望が流行した時代だったから不自然ではないが、バウハウスの学生の食費を軽減しようと、学園の庭で野菜を栽培したのだ。菜食主義は、これもまた当時のインテリを虜にした東洋趣味、神秘主義の一つであり、バウハウス教員達も例外ではない。この時代の前庭は、労働者の住宅計画に菜園があれば経済的であり、庭を手入れする趣味があれば、酒におぼれる心配も少なくなる、という労働者に住宅を供給する企業家の配慮があってモダン住宅に庭付きが奨励されたことに原点がある。これは自治体の方針にさえなった。バウハウスの実験的住宅の前にある菜園は、景観を美しく見せるというより食料不足対策だった。グロピウスの学生への配慮は、衣、食、住(デッサウの学生宿舎)そして収入にまで及んでいる。それは、学生達のスタイルや振舞いが市民の反感をかってはいけない、という配慮からだ。

表現主義からデスティーユへ、モダンへの近道

プロイセン政府は、「文化スパイ」としてヘルマン・ムテジウスを六年間イギリスに滞在させて、イギリスの成功の理由を研究させた。イギリスの成功をみならう実践の場として一九〇七年にドレスデンは第一次世界大戦前の知的文化の中心地となり、ヨーロッパでも重要な都市になった。大学講師や教授に加えて、ヴァルター・グロピウス、パウル・クレー、ワシリー・カンディンスキーなどの多くが、後のバウハウスの建築家や芸術家と出会った場所となった。そこでできたドイツ工作連盟はイ

ンダストリアルデザイン普及のための初期の組織だったが、それがバウハウスをつくった。初期のワイマール・バウハウスは、ヨハネス・イッテンなどの個性が主導する表現主義的な教育だった。この初期バウハウスの「表現主義のごった煮」を転換させたのは、ピート・モンドリアンと一緒にデ・ステイルを結成したテオ・ファン・ドゥースブルフで、彼が一九二一年にワイマールを訪れ、デ・ステイル講座を開いた時だった。

水平と垂直と直角、三原色と黒と白とグレーを基本的な表現手段としたデ・ステイルの理論は、個人の造形を越え、あらゆる造形のヒントになり、モホリ＝ナジ・ラースロー、パウル・クレー、ワシリー・カンディンスキー、ジョゼフ・アルバースらのマイスターによってモダン・デザインの具体的なイメージを浮かびやすくした。アーティストのそれぞれが描くイメージではなく、だれもがすばやく、一度に、共通してたどりつくことができる「新たなる建築芸術」教育の一つの手法になった。しかもバウハウスが、重点を置いていた初期の表現主義から方向を変えたのは、バウハウスの教育内容を市民に分からせるには単純なほうが効果的だったからでもある。

これこそが、バウハウスの世界的な功績であり、才能にかかわりなく、だれもが予備的な準備をしなくても、鉛筆一本でたどり着けるデザイン手法だった。だからこそ後に一〇〇歳でも皺ひとつない、と評価された。

一九二三年には「バウハウス有限会社」ができ、プロダクト製品の製造や、見本市、展示、販売会などを開催した。政府の予算を獲得しなければならなかったからだが、それとひきかえに、教育活動の成果を市民にわからせる規模の大きい展覧会の開催をすることになる。ここで工房の活躍が期待された。その展覧会に出品した金属工房のランプは好評でメディアも推薦した。他の工房の製品も展示されたがあまり市場性がなかった。一九二六年から一九二七年にマルセル・ブロイヤーの椅子や照明器具がメーカーとライセンス契約にこぎ着けたが売り上げははかばかしくなかった。パイプ椅子とランプは後に大手メーカーの後押しで現在でもなお生産販売している。

たった一つ当初から成功したのは壁紙だった。民衆のための壁紙、というグロピウスの後任学長となったハンネス・マイヤー指導の文様のない紙だ。それまでの壁紙といえば、花や風景などが印刷されているのが普通だったから、無地は異色だった。この壁紙が一九二九年にラッシュ社とライセンス契約し、そのパテント料が収入源になった。ほかにも織物工房がプリテクスティル社と契約を交わしている。このパテント代金はバウハウスの収入でありながら、デザインした学生の収入でもあった。その収入がなくなるころ、つまりワイマールの議会でナチが台頭する一カ月前に、マイヤーは、マルト・スタムなど学生数名の「赤きバウハウス旅団」を引き連れロシア革命後のモダンを造るためにモスクワに向かうことになる。

バウハウスのモダンとナチズム

マイヤーの後任学長に指名されたルートヴィッヒ・ミース・ファン・デル・ローエは、政治活動を禁止し、カリキュラムは建築にしぼり、グロピウスやマイヤーが試みた社会との関係性を問うデザイン教育が消え、職業教育に傾倒した。その工房の受注活動禁止の余波で学生は収入がなくなった。バウハウスがナチ政権の目障りにならないように、ミースは、学生の出席をとり、制服を着ること、食堂で長時間議論してはならない、町中で騒いではいけない、と学生に誓約書を書かせるほど厳しかった。

ワイマールそしてデッサウまでは市の援助で、ベルリンでは私立となったバウハウスの運営は困難を極めた。グロピウスは後に、これほどまで運営のために時間とエネルギーをつかうとは思わなかったと、妻に語っている。学長を退いたのは、建築家としての仕事にエネルギーを投じたかったからだ。残念なことにグロピウスは、アメリカで教育者（中国人建築家、ルーブルのピラミッド設計のミンペイは教え子の一人）としての名声はあったが、建築家としての活躍はニューヨークのメットライフビル（英語：MetLife Building）、かつてのパンナムビルが際立つだけで、華々しいものではなかった。もちろん、同時にアメリカに渡ったミースと比較してのことだが。

マイヤー校長時代の社会主義的な運動こそバウハウスから消えたが、バウハウスが育てたモダン・デザインが流通するために、女性誌『DIE NEUE LINIE 1929-1943』を編集出版し、モダンな広告を掲載したのは、バウハウスの教員だった。ナチ政権は前衛芸術を頽廃として断罪したものの、商品となったモダンは生き延びるチャンスがあった。いや製品よりも生き延びたのはバウハウスのロゴとグラフィックデザインの先進性だった。

2章 バウハウスの人々

バウハウスの学生――複雑な過去

バウハウスに入学し、研究生として秀れた業績を残した学生は多い。ユニークな教育システムの評価は確かに高いが、ただそれだけで建築家や工業製品のデザイナーが育ったのではない。

たとえば、一九二三年のバウハウス最初の実験住宅のデザインをした学生のひとりアルフレッド・アーントは、一九二一年にバウハウスに入学する前に、機械製造会社の設計者として働き、第一次世界大戦で兵士となり、除隊後アートアカデミーで一九二一年まで描写と絵画のクラスに在籍している。

彼のような入学生は多かった。戦争で兵役にとられて学べなかった青年達は数限りなくいた。今日のように年齢に応じて学校に一斉に入学し一斉に卒業、という教育システムではなかった。だから若者達は様々な体験を重ねながらバウハウスにやって来た。ということは、石膏デッサンや、風景の描写、人体デッサンのような芸術大学での古典的な技術を身につけていた学生は多かった。バウハウスでは、ゼロから学ぶことは少なかった。多くは基本的な描写の技術が入学以前に取得され、その上に理論と新しい素材との格闘が重なり、その行き着く先がバウハウスの教育成果だった。

教員もそうだったが、学生もまた経験、国籍、年齢などの異なる集団だったこともバウハウスを語るには欠かせない。しかも、この二〇世紀初頭はまだ男性社会であり、女性が高等教育をうける自由、いやそんなことをするのは家族の恥だった。上流階級であればあるほど職業につく、あるいは専門の研究をしてはならなかった。バウハウスも例外ではなく、織物でマイスターになったたった一人の女子学生グンタ・シュテルツルでさえ、父親の大反対をおしきってのバウハウス入学だったのだ。良家の子女が職業を持つのはタブーにもひとしかった。男性でも額に汗をかく仕事は上流階級の男の選択にはなかった。

アルフレッド・アーント（Alfred Arndt）。バウハウス展覧会の色彩計画担当だった生徒がバウハウスのマイスターだったのは一九二九年から一九三二年だった。彼がバウハウスに入学したのは偶然にグロピウスと会って、ここだったら居心地がいいだろうと直感したからだ。数年後に彼は建築部と装飾部門をひきついだ。とはいえ、彼のバウハウスでの修業は複雑だ。

アーントはワイマールからデッサウまで在籍した一九二一年～二八年の修業は次のとおりだ。

一九二一年にはイッテンの基礎教育を受け、クレーのクラスで。
一九二二年～二五年までカンディンスキーの壁画のクラスで。
一九二四年四月にワイマールのクラフトマン協会の試験に合格。

一九二五年～二六年にワイマールでヒンネルク・シュペア（Hinnerk Scheper）の下で壁画を研究。

一九二六年～二八年にマルセル・ブロイヤーの教える木工工房で。

一九二八年にバウハウスのマイスターの試験を受け、バウハウスを去る。

チューリンゲン市でフリーランスの建築家として働き始める。

一九二九年にデッサウのバウハウスに戻る。

一九二九年～三一年に建造物とインテリア・デザインすべての部門のディレクターとなる。

一九三〇年ハンネス・マイヤーの指導の下で、インテリア・デザインの部門、カーペット、金属と壁画の工房も含む部門のディレクターに指名される。

一九三一年～三二年にインテリア・デザイン、幾何学的なパース製図を教える。

一九三二年　バウハウスを去る。

これ以降は広告デザイナー、建築家として活躍した。

バウハウスの優秀な卒業生はジュニアマイスターとして認められ、しかも、彼らが全ての教育カリキュラムで優秀だったことを知らせるために、バウハウスのゲストスピーカーとして講義を依頼した。つまり、学生にも誇りと名誉を与え、なお学校の広告塔として機能させ、最も優秀な学生は、正式にマイスターとして採用している。その人材が、パイプ椅子で世界に名を馳せたマルセル・ブロイヤーであり、ハンネス・マイヤーだった。

皺なし一〇〇歳の椅子とランプ

一〇〇歳になっても皺一つないバウハウス製品が活躍中だ。機械時代を代表し、便利な実用品、椅子とランプは一九世紀初頭の若さをそのままに現役だ。最初の姿はドイツ工作連盟が発行した一九三〇年代のカタログにある。バウハウスは一九二七年のダルムシュタッド住宅展で成功をおさめ、一九三〇年、パリの装飾芸術博覧会のドイツ工作連盟ブースで、その成果を出展してみせた。バウハウス制作の家具、照明器などをインテリアにしつらえた写真をカタログ「形（DIE FORM）」でみせ、新しいモダンな生活を披露している。ブロイヤーのパイプ椅子が全てのインテリアにあるが、それらは現在もトーネ社の製品だ。

この展覧会の天井にとりつけたランプにまつわる逸話がおもしろい。ミッドガード（midgard）社のステアリング・ランプ（方向変更式）ＴＹＰ113は光線の角度を変えることができる量産された最初のランプだ。エンジニアのカート・フィッシャー（Curt Fischer）がデザインしたこのランプをバウハウスでは教室（デッサウで標準部品となった）はもちろん教員の宿舎にも採用した。オリジナルデザインＴＹＰ113は、モジュラーシステム、スプリング式、などと複数のバリエーションを生み、ランプＴＹＰ831と命名された。照す範囲の方向と高さを自由に変えられる機能は、ロウソクやガス灯から電気エネルギーを照明として生活に入れて安全を増しただけでなく、革新的なデザインだった。

ミッドガード、TYP113

ヴァルター・グロピウス、ハンネス・マイヤー、リオネル・ファイニンガーがバウハウスを去るとき、彼らはミッドガードのＴＹＰ113を引っ越し荷物につめた。マイヤーはそれをロシアに、グロピウスはリンカーン（マサチューセッツ）に、ファイニンガーはニューヨークに持っていった。モホリ＝ナジが使っていたランプはシカゴでニュー・バウハウスのディレクターの机を照らした、という象徴的な光景は、バウハウスがランプに乗って世界をめぐり照らした。

ミッドガードは一〇〇周年を記念して、ＴＹＰ113は限定版（製造番号100）を、一九二〇年代の技術と材料を使用してオリジナルそのままに再現、製品化している。

一九三一年製造のランプ（KAISER idell™ lamp）も現役だ。KAISER idell の KAISER（カイザー）はランプの製造メーカー名、イデル（idell）はクリスチャン・デル（Dell）自身の名前（Christian Dell）とアイデア（idea）を合成した。デルは一九一二年から一九一三年までワイマールのザクセン美術工芸大学で学び、一九二二年から一九二五年までバウハウスの金属工房のマイスターだった。カイザー・イデル・ランプはフリッツ・ハンセン社が改良を加えながら今でも現役。

女性マイスター、マリアンネのランプ

マリアンネ・ブラント（Marianne Brandt）はバウハウスの金属工房をまかされ、ティーポットが彼女の代表作として紹介されるが、Koring and Matheiesen社のブランド名カンデム（Kandem）ランプのデザインはマリアンネの一九二七年の作品だった。数多くのバリエーションがあるが、バウハウスのランプとして第一に紹介されるのが、モデル1089だろう。

ロシアのバウハウス・ランプ

不思議で面白いランプのエピソードがある。バウハウスの教員クリスチャン・デルがデザイナーとして働いていたH.RömmlerAGで、彼女はベークライトをつかった名品を手がけた。第二次世界大戦の終わる一九四五年にロシア軍が工場を爆破し、まだ使えそうな生産プラント施設のほとんどを、解体しソビエトに輸送した。しかも工場の片隅に、生産中のランプの一部があり、ロシア軍はこれも残さず持ち帰った。その後、このランプがロシア語の名前で流通した、という。持ち帰った金型をそのまま使ってロシアの工場で成型し、だれひとりとしてこのランプがバウハウスのデザインだったとは知らず流通した。

3章
バウハウス以前

戦争か平和か——ムテジウスとアンリ・ヴァン・デ・ヴェルデの論争

アンリ・ヴァン・デ・ヴェルデはウィリアム・モリスほどではなかったが、機械でも機能が形に表れれば美しい、すなわち機械でも美が生まれるとした。彼は夢実現のためにベルギーで学校を運営しながらデザインの事務所を、そしてドイツのワイマールに芸術顧問として招かれた。一九〇〇年に彼は、ワイマールに装飾美術学校をつくる。その年のドイツ・ウエルクブンドの会議で、彼は「工業と機械による生産に添ってゆかなければならない。だからといって怖がってその後を追いかけたり、優しすぎて、恐がったりしたら、後に残され、物に対する責任を背負わなくなり、完全なものを造らなかったり、使った素材にたいしての尊敬もなく、労働の喜びもまたなくしてしまう……」と語り、素晴らしい製品を造るには、教育が必要、美しさがわかるには教育が必要と主張し、装飾美術学校で彼はこれまでとは全く違う教育をした。それはデッサンをやめたことだった。純粋な線が持つ意味がわかるために、自然と色彩についても過去の学びをやめた。だが一九一四年の第一次世界大戦で、この計画は中断した。彼はベルギー人だったからだ。退職にあたって三人の後継者を指名した。ヨゼフ・マリア・オルブリッヒ、アウグスト・エンデル、そしてグロピウス。

戦争はワイマール校の校舎を軍隊の病院にし、たった二つのアトリエだけで作業をしていた。

ケルンでのウエルクブンド会議の白熱した議論の内側には、ドイツの事情があった。イギリスは工業製品で戦を仕掛けた。なぜかといえばドイツの工業製品は質も量も増大していたからだった。このままでは市場に影響する。植民地がわずかしかなかったドイツは、製品の量と質で戦いながらもまだ安心するまでには至っていなかった。イギリスとの競争というせっぱ詰まった意識がウエルクブンド会議のメンバーに顕著にあらわれ、ヘルマン・ムテジウスは特別だった。だから戦を引き受けることと、機械を引き受けることとは同じだった。

それゆえ手仕事か機械仕事か、とは平和か戦争かの分かれ道でもあった。機械を選択することは、当然形の表面は滑らかになると同じことだった。生産性からしてもシンプルで幾何学的なことは産業側を説得しやすい解決策だった。

機械か手か――たった一つが世界を統括していいのか

当時のドイツでは、たった一つの形が、量産という製品が、たった一人が考え出した形が、数千万の人の手に届き、それが平等で平均的な社会のクラスをつくり、なお国家さえつくりだすだろう、と想像された。もっと先に国家がその製品の刻印を押し、なおそれを購入した人の刻印と重なり、世界を統括するだろう、とまで。手作業そのものは、そんな画一化できるものではない、それゆえ統制はできにくいだろうと思われた。だから手作業の優位性を認めようと、いうメンバーも多かったはずだ。

そんな揺らぎの中にあったモダン・デザインの優等生、ペーター・ベーレンスの製品がどうだったのかといえば、工業とアートを一つにしたのは確かだが、厳格であり、シンプルな形、正確な形などは必ずしも、機能主義がつくったものではなく、モダンな経済と社会経済そして組織の効率という権力をシンボリックに表しているものだ。当時のドイツ文化のなかで顕著だったのは、啓蒙思想が浸透し、高い教養を身につけ、文学、音楽、美術を愛し、これらに精通しているばかりでなく、その専門知識を社会に対して立証しようとしていた人々が、「文化消費者」となり、バウハウスの製品を受け入れたことだ。好ましい製品とは教養が高い文化人の手で消費された。ペーター・ベーレンスの製品もこの消費者にむけてのデザインだった。

バウハウスの製品は、庶民というより、文化人の文化消費物として市場にでた。

ライトのモダンとベーレンス

日本のアートがモダン建築に影響を与えた、という。ジャポニズムが先べんをつけたにちがいないが、ベーレンスがベルリンで開いたばかりの建築事務所に、モダンの三巨匠、グロピウス、ミース、コルビュジエが見習いとして働いていた。彼らはその事務所で建築の聖書と崇められた、「Drawings and Plans of Frank Lloyd Wright.」があったのを記憶している。それはフランク・ロイド・ライトが愛人とヨーロッパに逃避行中にドイツでドイツ語で出版した一八九三年から一九〇九年の間のアメリカでの作品集「ポートフォリオ」だった。五〇〇〇部だけはアメリカのために取り置いたがそれはタリアセン火災で焼失した。

一九一〇年の出版日から数日後にはベーレンスの手にはいったようだが、「ポートフォリオ」が到着した日は事務所の仕事が止まった、という。それほど当時のモダン建築家にとって刺激だった。ヨーロッパの建築家がアメリカのライトの元で学ぼうとしていたほど、すでに高名だった。

一九〇五年にライトは日本を初めて訪れるが、その前にシカゴ博覧会の日本館、鳳凰堂をみて感激した。閉じることのないプラン、溢れんばかりの自然が内外を包む日本建築にとりつかれた。

自然という脅威から身を守るためのシェルターとしての建築と、季節に近い関係にいることができる建築の要素が日本建築にあることに気がついた。プレーリースタイルなど自然とのかかわり、内と外が交流できる建築デッサンを、「ポートフォリオ」で見つけたベーレンスの事務所の若き建築家達は驚きのまなざしで眺めたにちがいない。

4章 ワイマールからデッサウへ

ユンカースの功績

「ゲーテの街」とも呼ばれたワイマールは、ワイマール公国の首都だった。公国時代にはバッハが宮廷で音楽を演奏し、公務員だったゲーテが政務をおこなう文化の都。そのワイマール市から資金不足という通告をうけてバウハウスはベルリンから遠くないデッサウに移転した。

デッサウ市は一九二五年にバウハウスを迎えた。工業都市として発展途上にあり財政が豊かだったから、といわれているが、ここに一八九五年創業のユンカース発動機工場有限会社（Junkers Motorenbau GmbH）という、ガスエンジン、ボイラー、湯沸かし器などを生産する大工場があったからだ。といっても、一九二五年のユンカースは内燃機関の製造から業績を伸ばし、航空機も生産するドイツを代表する大企業に成長していた。第一次世界大戦時に総ジュラルミン製の航空機F13を生産し、日本の政界や航空業界の人々がユンカース工場を訪れている。当然、日本からの訪問者はグロピ

バウハウスとユンカース

ウスが設計した鉄とガラスのバウハウスの校舎（一九二五〜一九二六）を見たにちがいない（ナチに批判的だった創業者のフーゴー・ユンカースは一九三四年に軟禁され一九三五年に死亡）。

ユンカースと日本

第一次世界大戦後の日本の産業界は、一九一九年にデッサウを訪問した。ユンカースの製造工場を訪ね爆撃機そのものの購入と製造のライセンス契約を交渉した。その事情は永岑《ながみね》三千輝が一九二九年に残したレポート「ユンカースの世界戦略と日本一九一九〜一九三三」の一九二九年の報告に「K四七機の多数購入ということは初めから見込みがなかった。なぜなら、日本の法律によれば、同機種は一機か二機しか外国から導入してはならなかった。ここからも、K四七の製造ライセンスを獲得したいという三菱の希望は理解できることであった。

この間に、三菱の要員（二人の技師と二人のマイスター）の養成は終了し、つい先ごろ日本に帰還した。目下、日本の技師堀越が滞在しており、それはカウマン博士の勧告で全般的な情報提供を得るためであった。三菱の特別の要望で、堀越はJ38の試験飛行に立ち会うことになっていた。さらに、ユンカースの要員、すなわち一人の監督係と一人のマイスターが三菱により日本に招聘された。契約に基づくそのほかのマイスターの招聘はまだ来ていない」と記録を残している。

この報告書にある、堀越の姿は、宮崎アニメ「風立ちぬ」に、ユンカース社の格納庫の中で、日本の若い航空技術者がF13の機体を見つめるシーンに重なる。零戦設計者の記録によると、三菱航空機入社二年目の堀越二郎がドイツに出張し、デッサウにアパートを借りてユンカース社の技術を学んだのは一九二八年から一九二九年ころだった、とあるから、まさにバウハウスがデッサウにあった時だ。堀越がバウハウスを見学してもおかしくない。当時多くの技術者や商社マンあるいは芸術家がドイツを訪れているが、彼らがみたドイツは、おそらく明治時代の政府が派遣した日本の青年以上にドイツの先進工業技術に眼をみはっただろう。

ユンカースと実験校舎

ユンカースが一九二七年に発行した絵葉書に、グロピウスを世界的な建築家にしたデッサウ校舎の上空にユンカースF13が飛行している姿がある。学生達がたむろするベランダに人影はないが、デッ

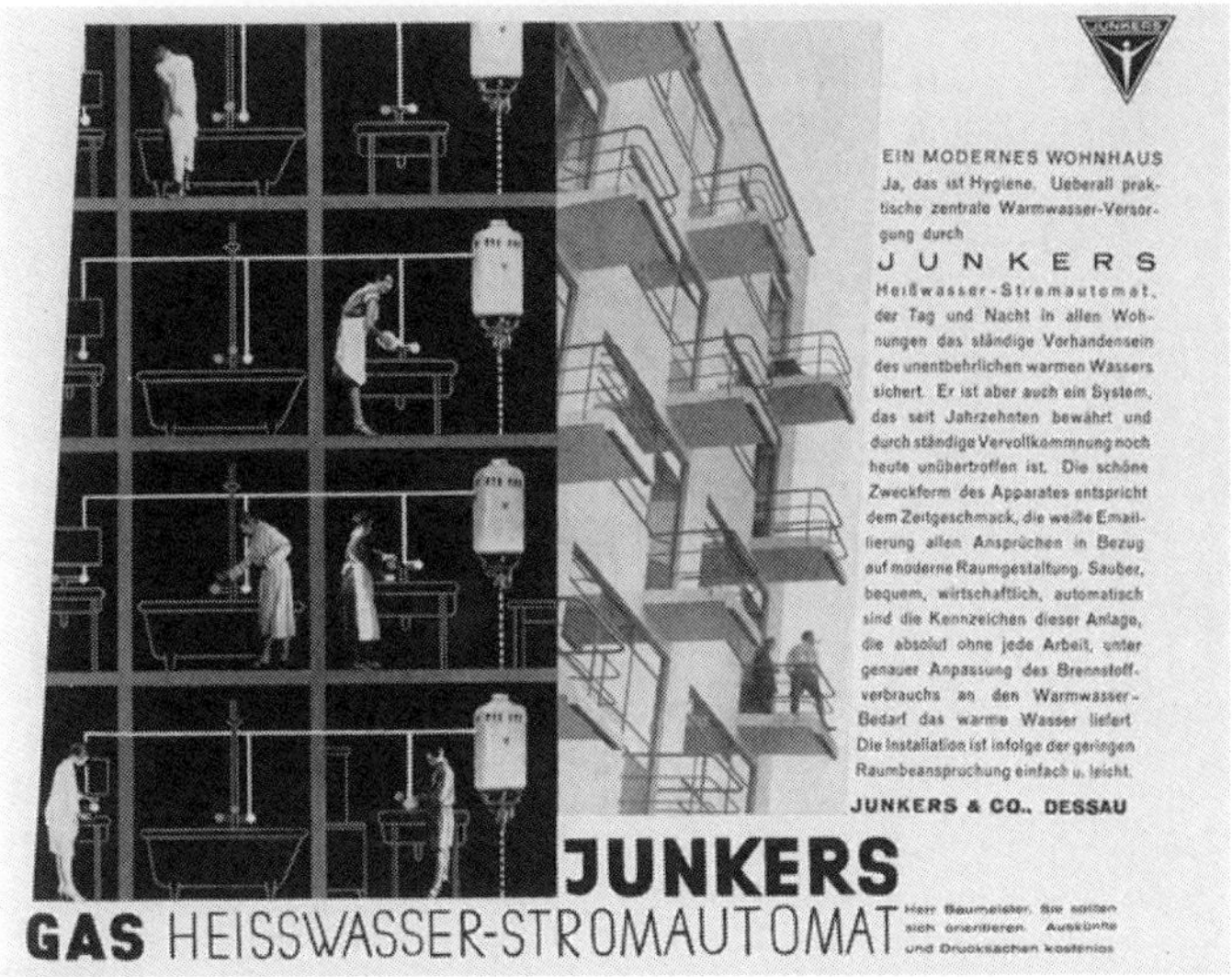
EIN MODERNES WOHNHAUS
Ja, das ist Hygiene. Ueberall praktische zentrale Warmwasser-Versorgung durch
JUNKERS
Heißwasser-Stromautomat, der Tag und Nacht in allen Wohnungen das ständige Vorhandensein des unentbehrlichen warmen Wassers sichert. Er ist aber auch ein System, das seit Jahrzehnten bewährt und durch ständige Vervollkommnung noch heute unübertroffen ist. Die schöne Zweckform des Apparates entspricht dem Zeitgeschmack, die weiße Emaillierung allen Ansprüchen in Bezug auf moderne Raumgestaltung. Sauber, bequem, wirtschaftlich, automatisch sind die Kennzeichen dieser Anlage, die absolut ohne jede Arbeit, unter genauer Anpassung des Brennstoffverbrauchs an den Warmwasser-Bedarf das warme Wasser liefert. Die Installation ist infolge der geringen Raumbeanspruchung einfach u. leicht.
JUNKERS & CO., DESSAU
JUNKERS
GAS HEISSWASSER-STROMAUTOMAT
Herr Baumeister, Sie sollten sich orientieren. Auskünfte und Drucksachen kostenlos
デッサウ・ユンカース、給湯システムとバウハウス校舎

サウのバウハウス全体を的確に捉えた写真だ。ユンカース社発行の絵葉書だとすれば、バウハウスという有名なブランドとの協力関係を宣伝するにふさわしい演出だったろうし、逆にバウハウスがつくった絵葉書であれば技術と共にある先進の学校バウハウス、を広報する見事な一枚だ。

ユンカースはボイラーの生産をしていた企業だから暖房装置や湯沸かし器のメーカーでもあった。そのモダンな技術のデモンストレーションのために、バウハウスの学生寮のベランダに学生がたむろする姿を見せる広告も見事だ。右半分に学生寮の写真、左半分にガス湯沸かし器から台所に、そして浴室に、さらに洗面所に、と自動的に学生宿舎全体に湯がめぐるシステムを図解する。一九二〇年代（昭和初期）に実験的ながらプレハブ住宅の製

造を試みていたユンカースにとってバウハウスの、いや建築家グロピウスの存在は何よりも心強かった。いや、グロピウスにとっても、最新の設備を備えた量産住宅の実験はうれしいパートナーだった。ユンカースはスチールパネル・ハウス（一九三三年）と呼ばれ、スチールの壁の間にグラスウールを仕込むプレハブ部材を試作するなど先進的な住宅試作も手がける企業だった。しかもバウハウスの量産品の試作をユンカースの工場で、という幸運があった。

バウハウス念願の建築教育とジードルング建設

ワイマールを追われ、デッサウ移転と同時にヴァルター・グロピウスは「バウハウス・デッサウ」校舎を設計した。家具や照明などはバウハウスのマイスターや学生のデザインだ。デッサウ市からの資金支援があり、部材はユンカースの工場で生産、という幸運があって短期間で建築は完成した。飛行機生産のユンカース工場があったデッサウだったからこそ、機械による量産に教育と実習の舵をきったバウハウスは、生産性の高いデザインの啓蒙も順調に広報することができた。ユンカースの存在は、金属工房でデザインしたランプ、スチールパイプの加工の実験などを可能にし、量産から販売にまでこぎ着けたバウハウスの数少ない製品の商品化を助けている。

グロピウスは、バウハウスに建築の規格化と量産化に沿った建築教育部門を設立したかった。デッサウへのバウハウス移転の原動力となったユンカースやアグファ（一九世紀末、染料アニリン開発、写真フィルム企業）は、企業の労働者むけ集合住宅の計画を始めた。それは第一次世界大戦後ドイツの住宅不足を救うためだったから、政府は建築予算のために家賃税を導入し、税収で建設を促進することになり、バウハウスに建築部門を、というグロピウスの念願はかなった。ブルーノ・タウトやエルンスト・マイが一九二五年から二九年までに六万五〇〇〇戸というジードルンク（共同住宅）を建設し、同じ時期にグロピウスはテルテンのジードルンクで一九二六年から一九二八年までに三〇〇〇戸の住宅を建てている。グロピウスは一九二八年にバウハウスを去り一九三〇年からベルリンにつくった自分の建築事務所で新たな集合住宅設計にエネルギーを注いだ。

5章

「ハウス・アム・ホルン」のデザイン——グロピウス理想の共同作業

理想の共同作業で

1章でも述べたが、バウハウス最初の展覧会の住宅「ハウス・アム・ホルン」は、中央の部屋をいくつかの小部屋が囲んでいる。中央リビングの面積は全体の三分の一。その廻りに工作室、男性の部屋、トイレとバス、女性の部屋、子ども部屋、ダイニング、台所、客間、という構成だ。この「ハウス・アム・ホルン」は、建築家ではなく、予備コースのマスターであり、後に織り工房の責任者になった画家、グラフィックデザイナーのゲオルク・ムシュが設計した。

菜園つき住宅

バウハウスの家の前に造られた菜園は、当時の労働者向け住宅と同じ目的があった。一九二〇年代にドイツで資本家が労働者に住宅を用意しそこに菜園も付け足したのは、賃金を上げなくてもいいいわけができるからだった。非常時には自給ができる、という予防的な計画でもあった。そのためには一戸につき六〇〇平米から八〇〇平米の菜園を用意した。菜園とはいえ、そこで食料となる鳥、豚、などの家畜も飼った。

もちろん当時のドイツは、敗戦と賠償金の支払いのために急速に工業化に向かっていた時代であり、農村から工業都市に流入する労働者のための住宅を整備するのは、国家にとっても資本側にとっても急を要した。バウハウスのメンバーが労働者向けの庭付きアパートを建てたのは、まさにその需要を具現化したものだった。

バウハウス・アム・ホルン 1923

バウハウスと小池新二

小池新二（元千葉大学教授、九州芸術工科大学長）の住まいは東京・多摩地区の小金井市にあった。生け垣のある入り口からしばらく歩くとどっしりとした和風の母屋の玄関。先生の最初の言葉は

「すべて檜造りだよ」だった。新築したばかりの檜の香りがあふれる心地よい和風空間は、英語でジークフリート・ギーディオンの原書『空間・時間・建築』を教科書にした先生のイメージとほど遠かった。

訪問したのは一九七四年。千葉大学を退官され、九州芸術工科大学初代学長に、そして一九七九年に開館する予定だった福岡市立美術館の設立委員をされているころだった。一九七三年にパリから帰国し失業中の筆者を心配された先生が、アルバイトに家の書庫を整理してくれないかと言われ、幸運が舞い込んできた。母屋から離れて庭にポツンとあった旧住居に付随していた書庫は、先生とともに過ごした年月を思わせる姿だったが、暗い書庫に入って驚いたのは蔵書の量だった。「みんな整理しなくてもいいよ、洋書だけで」と救いの言葉が後ろから追いかけてきた。整理されてはいたが、まず言語別、といっても英語とドイツ語別に分類することから始めたが、ドイツ語の、それもドイツで一九三〇年代に出版されたデザインに関するカタログや雑誌が多かった。

「戦前にこれほど多くのデザイン関連の出版物があったのですか」とお聞きすると、「ドイツ文化の一部だからね。でも戦前からこれだけの参考資料をもっている人間は、ほとんどなかったから皆から見せてほしいとせがまれてまいったよ」と笑っていた。一週間ほど小金井に通っているうちに、様々な来客にであった。なかには美術館の設計コンペにかかわる人々もいた。先生は決して約束のない人には会わないという原則をもっていたが、それでも動かない来客を玄関から引き下がっていただくのは苦労だった。生け垣の前に車を停め、車内で先生が帰宅するのを待つ強者さえいた。

膨大な書籍は小池新二が創設した「海外文化中央局」のためにご自身が自ら海外と交渉をして取り寄せたものだった、という（現在、洋書三三九五冊、雑誌七〇〇種が千葉大学の蔵書として図書館にある）。

とはいえ、小金井市の書庫で本に囲まれながら至福の一週間をすごすうちに、一つの疑問が頭から離れなかった。檜造りの家屋のある屋敷は、広大な庭のようであり、畑のようであり、そのどちらでもない小高い緑の中にポツンと建っていた。先生の弟、小池悌四の記憶によれば、「三〇〇坪もある土地を借りたのは、ドイツで当時アウタルキー（AUTALKIE、自給自足の）と呼ばれるナチスドイツの政策を習い、もしかしたら彼も自宅の周囲を耕作して自立するつもりだったのだろうか」と語っている。

小池先生がアウタルキーに注目したのは、一九三〇年代のナチスの時代に都市計画を研究していたフェーダ・ゴッド・フリードの計画案の一つに注目したからだろう。産業革命で最初に成功したイギリスはガーデンシティーを金持ちのために造ったが、やがて都市労働者のための安い住宅にも庭を造るようになった。もちろん美しい環境開発のためでもあったが、庭があることで労働者は庭の手入れにいそしみ、それが流行となり、酒におぼれることも少なくなり、犯罪が少なくなるだろうことも住宅を供給する側の目的でもあった。その後一九一〇年代から菜園のある住宅計画がヨーロッパ各地で試され、ドイツもその計画を取り入れ、小池先生はその時代に一戸だてに備わる菜園のヨーロッパでの機能を理解したに違いない。筆者が訪れたのは、新築後だったが、同じ場所に以前の屋敷もあったというから、彼は一九五〇年代には貫井北町のアウタルキーの住人だった。

日本の工業デザイン教育のパイオニアだった小池新二先生はあくまでもドイツの教育を目指していた。新築の和風の住宅は、おそらくワイマールの敷地に建った「ハウス・アム・ホルン」をイメージしたようだ。

6章

もう一つのバウハウス　モスクワ

——バウハウス［BAUHAUS］とブフテマス［VKhUTEMAS］

美術館にベアリングを展示した男

モマ・コレクション「Moma collection」は世界中の優れたデザインの製品（工業製品）を絵画や彫刻のような美術品と同等に評価、展示、保存する。同時に複製販売の道を開いているのは「ニューヨーク近代美術館（MoMA）」だ。

一九三〇年代の美術館に、建築、デザイン、映画、写真の部門を世界ではじめて創ったのはアルフレッド・バー・ジュニア（Alfred H. Barr, Jr.）、ニューヨーク近代美術館の初代館長になった男だった。誰の目にもなじみの美術品を収蔵展示する場所に、新しい技術の産物も並べなくてはならないと思わせたのは、バーが一九二〇年代にアメリカからヨーロッパに旅をしたのがきっかけだった。

旅行メンバー二人のアメリカ青年のうちの一人のバーは、高校の美術教員を一時休職して、ヨーロッパの文化を現地で見、そしてモダンアートを研究しようと思いたった。具体的な目的はアメリカの高校での授業でつかう現代ヨーロッパ美術のグラフィカルな資料と歴史資料を集めるためだった。というのは、当時のアメリカの美術教育にモダンな作品が取り上げられることはほとんどなかったからだった。

バーがヨーロッパ旅行をしようとおもいたったころのアメリカの学校のアートの授業ではルーベンスに始まり、少し皮肉っぽくゴッホとマチスを教えるくらいがせいぜいで、モダンな傾向の絵画についての授業はなかった。しかも、建築ではゴシックやドーリア式やイオニア式のギリシャの柱をレンダリングしたり、ロマネスクな高層ビル（スカイスクレーパー建造はアメリカで始まっていた）などをスケッチしていたくらいだった。

二人のアメリカ人青年の旅は、まもなく一九三〇年代のアメリカにモダンとはなにか、モダン絵画、モダンインダストリアルデザイン、モダン建築、とは何かを市民に知らせるニューヨーク近代美術館に発展する。

彼らの目的地はバウハウスだった。そこで彼はデッサウでグロピウス、パウル・クレー、そしてモホリ=ナジに会った。旅にはもう一人の同伴者ベレンス・アボットがいた。ハーバード卒業で、後に美術館での同僚となる人物だった。二人の旅は一九二七年から二八年にわたった。

一九二七年の終わりに二人は、予定にはなかったがドイツからロシアにゆくことにした。アメリカで見た美術雑誌に紹介されていた革命直後のロシア・アバンギャルド芸術に触れてみたかったからだ。モスクワに二、三週間滞在するつもりだったが、結局ロシア滞在は一カ月になった。旅先で二人は現地で会った人々の記録をとり、ありとあらゆるビジュアルな資料をかき集めて船便に詰め込みアメリカに持ち帰った。

ロシアのブフテマス行きを思い立ったのは、バウハウスの移転先デッサウでロシアの学校ブフテマス（VKhUTEMAS）の噂を聞いたのがきっかけだった。しかも、この学校のことをソビエトのバウハウス（VKhUTEMAS）と呼び、教員にはロシアのアバンギャルドな画家アレクサンドル・ロチェンコ、エル・リシツキー、ワシリー・カンディンスキー、ウラジーミル・タトリンなどがいることも耳にしたからでもある。

バーは一九二八年に三回もブフテマスを訪問している。そこでロシアの前衛アートの授業の方法を学び、なおロシアアートの歴史を学んでアメリカで教えるつもりだった。ところが、それはかなわなかった。というのは彼らはロシア語が話せない、という重大な欠点があったのだ。

とはいえ、バーにとってもっと困ったことは、ブフテマスには教育にかかわる資料、プリントなどの紙の資料が何もなかったことだ。

一九一七年のロシア革命後のソビエト・ロシアの物資は豊かではなかったから、学校の運営にかかわる、例えばカリキュラム表も教員名簿さえ見つからなかった。だが、教員や学生の熱心な様子から想像すれば、きっと明るい未来があるにちがいない、と思わせる雰囲気と熱狂がそこに漂っていた。

それに比べればは当時のドイツ、バウハウスにはポスター、カタログ、絵葉書、本、などの紙資料はすでに外国にまで、いや世界中に広報資料として出回っていたほど豊かだった。ロシアのバウハウスがヨーロッパに知られていなかった理由の一つは、広報資料があまりにもなかったからだろう。

にもかかわらずバーは、冬の間にモスクワからできるだけ沢山の資料をもちかえろうと決心し、ブフテマスで出会った学生から直接デッサンや模型などをかき集めた。この資料があったからこそ不明だったロシア・アバンギャルドの歴史の隠されてきた部分のパズルを後に埋める事ができた。しかも後に誕生一〇〇歳を祝うブフテマス展の開催の成功にも寄与した。

アメリカの青年二人は綿密に旅日記をつけていた。この日記をたどれば、彼らがバウハウスとその好敵手であるブフテマスとの差はどこにあるかを探っていたことがわかる。日記から見えてくる彼らの捜索で、ブフテマスはバウハウスに関心をもち、そこから多くを学んでいたこともはっきりする。

バーがブフテマスの教員に二つの学校の差はどこにあるか、と尋ねたら「バウハウスは個人の成長が目的だが、モスクワのブフテマス工房では共同体の進歩が目的だ」という答えがかえってきた。ところがこれは表面的な見解だ。というのはバウハウスの教育も社会的であり、モスクワと同じように共同作業で制作する、という教育方針が濃厚だったからだ。

一九二八年の一月、バーはモスクワで建築家、画家、タイポグラファーであるリシツキーに会う。当時の彼はブフテマスでインテリア家具などを教えていた。バーはバウハウスのプリント資料などをリシツキーに贈り、グロピウスからあずかった手紙をリシツキーに渡した。リシツキーはバウハウスに好意をもっていたようだった。バーのノートにはリシツキーがデザインした本をみて、モホリ゠ナジ・ラースローのバウハウスの仕事を彷彿させる、と記録している。

一九二七年にブフテマスは建築の本を出版する。学校での建築授業の成果を示すためだった。本の表紙はリシツキーのデザインだった。それはバーの訪問にたいする返礼のような出版でもあり、そのために特別に印刷されたようでもあった。

リシツキーは「銀の雲」をバーにみせた。その仕事をみたバーはノートに、彼はバウハウスに影響されているが、決してコピーをしているわけではない、と記した。

同じ日の午後バーはロチェンコ夫婦にも会った。その時アレクサンドル・ロチェンコはアトリエで家具を教えていた。その後バーは二人のアパートをおとずれ、ロチェンコの妻の記憶によれば、バーはロチェンコ夫妻の部屋でお茶をのみながらの会話で、絵画のことしか質問しなかった、という。

一九二八年、ロチェンコは再びバーを工房に招き、写真、ゼラチンのネガ、などを贈呈した。当時のロチェンコは絵画、家具から写真に興味が移っていたからだ。これもバーへの土産になった。写真にはブフテマス校舎が映り、学校の住所がわかる道路も写真にあり、バルコニーが見える。

バーは一九二五年に英語で出版されたロシアのアバンギャルド絵画についての著作本を持っていた。おそらくそれが一九二〇年代に出版されたたった一冊のロシア・アバンギャルド芸術の本だったにちがいない。名簿を追いながらロチェンコにロシアの画家についての質問を繰り返したが、ロチェンコはほとんど知らないようだった。夫のかわりに答えたのは彼の妻だった。

彼はこの本に記載されているアーティストを生存中に尋ねているが、ほとんどのアーティストはブフテマスの関係者だった。

逃亡を助けたニューヨーク近代美術館の人々とVarian Fry

記憶すべきことがある。バーをはじめとするニューヨーク近代美術館（ＭｏＭＡ）の人々が、ヨーロッパから第二次世界大戦をのがれてアメリカに安住の地をもとめる多くの知識人そしてアーティストの亡命を手助けしたことだ。

二〇〇〇名といわれる亡命者リストをみるだけでも、モマ（ＭｏＭＡ）の隠れた功績に敬服するしかない。それはアメリカのジャーナリスト、バリアン・フライ（Varian Fry）を中心とする救済組織の危険と共にあった作業だった。亡命者の一部はフランスから陸路でリスボンまで、そこから船でアメリカへ、あるいはマルセイユからアメリカへ、と渡った。

7章

「ブフテマス一〇〇歳」「バウハウス一〇〇歳」

――モスクワのバウハウス、「ブフテマス展」

ブフテマス展をモスクワで

モスクワのブフテマスが一〇〇歳を契機に歴史の闇から浮かび上がった。ブフテマスとはバウハウスと同時期にモスクワにあった前衛的なデザイン学校だ。二つのモダンを目指すデザイン学校がワイマールとモスクワで開校していた。一つは一〇〇年間も称賛され、もう一つは一〇〇年たってやっと陽の目をあびた。

一〇〇年目のブフテマス展の開催はモスクワで二〇二〇年から二〇二一年にかけてだった。

二〇世紀初頭の工業化政策はヨーロッパ諸国にとっての悲願だったが、産業革命で先頭を切ったイギリス、フランス、そしてドイツ、そしてその後を追ったソビエト・ロシアも革命を終え、新たな社会主義社会を目指し、政府は工業化を急いだ。当然ソビエト・ロシアも芸術と産業の統合をかかげ、インダストリアルデザインの概念を発展させようと、それまであった「自由アトリエ」を芸術工芸学校、ブフテマス（VKhUTEMAS）に変更した。

バウハウスとブフテマスとの一番大きな差は学生数だ。バウハウスは年間一五〇名ほどだったが、ブフテマスでは最初は二〇〇〇名、その後には二〇〇〇名を上回るほど大規模だった。学生数の違いは大きかったが、どちらも政治と密接に結びついていた。さらにアカデミズムを否定すること、建築を中核にしてあらゆるアートがひとつになること、アートと技術と科学が密接な関係にあること、などは二つの学校がかかげた共通点だった。

モスクワ「ハンネス・マイヤー時代のバウハウス展」カタログ表紙1928〜1930年

ブフテマスの教育カリキュラムは、絵画、彫刻、建築、印刷、織物、セラミック、金属加工、木工でバウハウスとほぼ同じ領域だった。具体的なカリキュラム内容は色彩とコミュニケーションの法則、空間の把握とその形成、リズムと構成などだった。

教員は後にヨーロッパやアメリカで活躍することになる、写真家アレクサンドル・ロチェンコ、彫刻家ヴェラ・ムーヒナ、グラフィックデザイナーのウラジーミル・タトリン、画家ワシリー・カンディンスキー（後にバウハウス教員）、ピョートル・コンチャロフスキー、

「ハンネス・マイヤー時代のバウハウス展」1931年、モスクワ展

建築家アレクセイ・シチューセフ、コンスタンティン・メーリニコフ、アレクサンドル・ヴェスニン、ニコライ・ラドフスキー、バーバラ・ステパーノヴァとリュボーフィ・ポポーワなど。現代のデザインを牽引した人々も顔を見せるが、当時のロシアの前衛的な建築家、アーティストのほとんどが顔をそろえている。それよりも興味深いのは、二つのバウハウスでは、同じ教員が教えていたことであり、バウハウスは客員あるいは講師としてロシアのブフテマスの教員達、いやロシアの前衛作家達のほとんどを招いている。

ブフテマスのラドフスキー

ブフテマスの教員の一人に、ニコライ・ラドフスキー (Nikolai Alexandrovich Ladovsky,

1881-1941）がいる。建築を単純なエンジニアリング工学と同等のものにした構成主義から距離を置いた建築家だった。

「構造が空間を決める。だから構造工学は建築家の作業だ。ところが、エンジニアは、最小限の素材で最大限の効果を得ることを目標にする技術者だ。アートとは何の共通点もない。だから、ときたまエンジニアの手法が功を奏して偶然建築家を喜ばせることがあるにすぎない。外部の形が内部の住まい方を反映するなどということは決してなく、内部はそれだけで、独自の価値がなければならない」とはラドフスキーの言葉だった。

一九二〇年にロシア・アートの購入をアメリカ人に斡旋する団体の展示会が頻繁にあり、そこで行われていたラドフスキーの講演や説明が雑誌に掲載されてから、無名だったラドフスキーは脚光をあびた。彼の思考は同時期に活躍していたブフテマスの教授だったゾルトヴスキー（Zholtovsky）の新古典主義的なアート理論と対立したが、この古典主義に反対する学生はラドフスキーの教えに従った。一九二〇年の彼の教育は、空間、形、人の感性に重きを置き、エンジニアリングよりも芸術を優先するプログラムだった。入学試験は暗い部屋で受験生に空間把握をさせたり、授業では感情の表現やモックアップ造りなど、古典的なデッサンや古典の模写のような実技ではなく、自由な発想を促した。

ブフテマスの校舎

作品は数多く残っていないが、モスクワの地下鉄とベンチ、照明などは彼とその教え子の作品だ。

ラドフスキーの教え子は卒業後、スターリン時代に逮捕されたり、釈放されて建築家として成功したものも多く、彼自身もスターリン様式に貢献したが、彼はロシアの現代にまで続く建築家を育てた教員だった、との評価がある。

ラドフスキーの宇宙に関するコースは特別に興味深いプログラムだった。彼の教え子のひとりジョージ・クルティコフは「空飛ぶ街」（一九二八年）を提案した。住宅は空中に、地球上には自然保護区と産業を残した。地下鉄やバスの代わりに飛行キャビンで移動する計画だった。尖った空豆のようなカプセルで宇宙を移動する道具の描写はユーモラスだ。

ブフテマス、一九二五年パリ万博

ブフテマスの学生のプロジェクトは一九二五年のパリ装飾芸術国際展示会で紹介され、評価が高かった。ソビエト・パビリオンで、アレクサンドル・ロチェンコは「労働者クラブ」を構成主義的な手法でデザインし、簡単に移動でき、折りたたみ、再び別の形にかえることができる机と椅子を提案している。この家具の面白さには、移動するための、折畳み、重ね、という手法が多様されていることだ。それは機能的というより、遊びに満ちたデザインだったが、予算がなかったために、パリまでの長旅に耐えるデザインでなければならなかった。つまり、折り畳んで小さな梱包にしなければ輸送予

展示品、アドルフ・マイヤーの家具、机と椅子

算が不足するからだった。展示スペースの内装は可動式の壁で必要に応じて二つに分けることができた。

この展示品がどれだけ評価が高かったかは、後にパリのポンピドー文化センターで一九二五年の展示再現があったことでも想像できるだろう。

ブフテマスがバウハウスの先輩だったかどうかは微妙だ。なぜなら一九一九年に誕生したバウハウスに一年先立ち、一九一八年、「スヴォマス」がペトログラードに発足し、その二年後ウラジーミル・レーニンが一九二〇年に、スヴォマスを改組してモスクワに「ブフテマス」を開設したからだ。


共産主義者だったハンネス・マイヤーの情熱から、一九二七年と二八年にバウハウスとブフテマスの学生のグループが互いに訪問しあう交流があり、接点はあった。この二つが一緒に評価されなかったのは、ブフテマスの広報資料とメディアへの対応があまりにも少なかったからだった。アメリカの二人の青年がもちかえった資料のおかげで教育の詳細がわかり、一〇〇年後、やっと二〇一九年にアメリカとモスクワの両方で一〇〇周年を記念するブフテマス回顧展が開かれた。

8章 ごった煮のバウハウス

なんというごった煮

ワイマールのバウハウスを訪れたある芸術家が「なんというごった煮」と言った。ごった煮、と驚いた理由はバウハウスの教員も学生も、外国人でいっぱいだったからだ。ことに学長のグロピウスを除いてほとんどの教員が外国人だった。

バウハウスが初めから有名だったわけではない。ベルギー人のアンリ・ヴァン・デ・ヴェルデが校長だったワイマールの美術学校が、第一次大戦でドイツがベルギーの敵国となり、ベルギー国籍のアンリ・ヴァン・デ・ヴェルデはドイツを去った。その大戦中にワイマールの美術学校は兵士の病院になり、戦いの後にワイマール共和国が生まれ、アンリ・ヴァン・デ・ヴェルデが次期学長として推薦した三人のうち一人がグロピウスだった。

グロピウスは才能のある特別な人物だけを選ぶ天才だったといわれているが、北欧諸国からギリシャまでを俯瞰すれば、現在ドイツと呼ばれている地域は、ヨーロッパの中央に位置しドナウ川で黒海までの東欧諸国とつながる文化交流の中心点にあることに気がつく。だから、人と物が、いや多彩な人材が交流してきた。一九世紀から二〇世紀にかけての政治的混乱の中にあったロシアと東欧諸国、反ユダヤと容認ユダヤ主義の交錯したこの地域で、第一次世界大戦から第二次世界大戦まで、ヒトラーが政権をとるまでは、ドイツが避難の場に、ユダヤ人に限ればレーニンが政権についていたあいだは、ロシアもドイツと並んで芸術家の避難の場所だった。芸術家だけではない、ワイマールはあらゆる意味でインテリ層にとっての隠れ家だった。そのワイマールという小さな地域にすぎない隠れ家にバウハウスが誕生した。

だからこそ、モチベーションこそさまざまだが、亡命、避難、移住などのステータスでワイマール、デッサウ、ベルリンという三カ所で活躍したバウハウスの教員や、学生が多国籍だったのは当然だった。バウハウスに限らず他のドイツにあった学校にも東欧諸国の若者は避難した。あらゆる文化人が一九二〇年代には「なんというごった煮」をくりかえし、ワイマールはそれを許す都市だった。

逆に「ごった煮」と呼んだ複数文化の混在があったからこそ、その地に新たな文化が華咲き、新たな芸術運動が起こり、バウハウスが生まれ、人材が、デザイナーが生まれ育った。

ロシア革命が起こり、ドイツ周縁諸国の領地獲得戦争が激しくなり、チェコ、スロバキア、ポーランド、などから第一次大戦後のドイツに亡命した芸術家は多かった。当然そのドイツで、多くの若い亡命芸術家、国籍がちがう多くの民族の芸術家が顔をつきあわせ、互いの作品で刺激しあい、批評し、

ブフテマスの教室風景。最高で2700名の生徒、教員100名を数えた。

展覧会を開く機運ができあがっていった。

パリもロンドンも亡命先だったのに、なぜ多くがドイツを選んだかといえば、敗戦国ドイツの貨幣の弱さが、外国人にとっての救いだったからでもあろう。イギリスの定年退職後の人々が生活費の安いドイツに移住して年金で豊かに暮らしているという新聞記事が話題になったほどだった。一九三〇年代にバウハウスに留学した山脇巌夫妻がこっそりと肉を買い、貧しい学生への後ろめたさを語っている様子からも日本円とドイツマルクの貨幣価値の差がどんなものだったかがわかる。日本円に価値があったわけではなく、ハイパーインフレになったドイツマルクの価値が下落していた。パンを買うためにトランクいっぱいにマルク紙幣をつめたというくらいだった。

バウハウスの「ごった煮」、外国人教員は以下の通りだ（学生と元学生を除く）。

イッテン――――――――スイス
カンディンスキー――――ロシア
ヘルベルト・バイヤー――オーストリア
マルセル・ブロイヤー――ハンガリー
ラヨシュ・カッシャーク――ハンガリー
モホリ＝ナジ・ラースロー――ハンガリー
ボルトニク・シャーンドル――ハンガリー

他にもモスクワから派遣されたエル・リシツキー、デ・ステイルのファン・ドゥースブルク、ハノーヴァーのクルト・シュヴィッタースらのほか、ポーランドのヘンリク・ベルレウィなど多くの東欧作家たちが、この町を拠点にして活動し、バウハウスでの講演も学生達への刺激となった。

隠れ家ワイマール共和国

一九一八年一一月、ドイツは第一次大戦に敗れた。同じ年の一一月にベルリンに革命が起こり、民主的な憲法と議会をもったワイマール共和国が成立し、しばらくの間は政治的に安定していた。あらゆる芸術分野の人間が参加した「構成主義」がヨーロッパだけでなく東欧、アジアにまで影響をおよぼしていったのは、そんな束の間の安定した一九二〇年代だった。舞台はバウハウスがあったワイマールやデッサウをはじめとするワイマール共和国の都市、なかでも首都だったベルリンは、ロシア革命の難をのがれた芸術家や亡命貴族たち、そして東欧諸国にいたユダヤ民族がコロニーを作り、ロシアの前衛芸術を西ヨーロッパに伝える窓口として活気づいていた。モスクワから派遣されたリシツキー、デ・スティルのファン・ドゥースブルク、ハノーヴァーのシュヴィッタースらのほか、ポーランドのベルレウイ、ハンガリーのアレクサンデル・ボルトニクなど、祖国に身の置き場のなくなった、多くの東欧作家たちが、この街を拠点にした。

リトアニア系ユダヤ人だったリシツキーは一九〇九年にロシアのサンクトペテルブルクの美術大学入試に合格したが、反ユダヤ法があり、ユダヤ人学生数の制限で入学がかなわず、ロシアの多くのユダヤ人と同じように、ドイツへ留学する。まず、ダルムシュタット工科大学で建築工学を学び、一九一二年にパリやイタリアを中心に一二〇〇キロを徒歩で旅し、建築物や風景をスケッチしデッサンを独学した。彼は第一次世界大戦のはじまる一九一四年までドイツに滞在し、戦争と同時にスイスやバルカン半島を経由してロシアへ強制的に帰国させられた。ほかにもワシリー・カンディンスキー（元、ブフテマスの教員）やマルク・シャガール（ビテプスク美術学校長）、などもロシアに帰国した。反ユダヤ主義だったロシア帝政が終わり、レーニンの登場とともに反ユダヤ法が廃止され、ロシアにもユダヤ民族が活動するチャンスがめぐってきたからだった。

この時、ユダヤ人だったシャガールは故郷ビテプスクの美術学校校長となり、リシツキーやマレービチなどを教師に招いている。シャガールはロシアからベルリン経由でフランスに戻り、ナチズムに追われてアメリカに、戦後フランスで活躍、と幾度となく国境を越える生涯だった。

モスクワ美術学校を絵画、彫刻、建築、陶芸、金工、織物、印刷の七部門に改組して市民に開放したのは、ブフテマス（国立高等芸術技術工房）だった。ヨーロッパからの帰国者やロシア内の前衛作家を教員として採用し、帰国したカンディンスキーもブフテマス教授となり、絵画文化館長でもあり、芸術文化研究所の芸術教育改革案を提案し、色彩・線・形の基本的要素を分解、分析、構成し、幾何的な芸術にむかったが、スターリンの圧制をのがれてドイツのバウハウスの教員となり、ヒトラーに追われてフランスに逃れ、アメリカ行きを断固としてことわり、生涯をフランスで終えた。

リシツキーがハノーバーでアトリエと作品展示のための一室を借り、ケルンでは一九二二年に「国際進歩的芸術家会議」を開催し、ドイツ、ロシア、オランダ、スイス、フランスなどの抽象作家がここで始めて顔を合わせるチャンスをつくった。リシツキーは絵画、グラフィイック・デザインから建築まで、幅広い分野で活動し、その構成主義的な平面構成は、一挙にアメリカの出版社の注目をあびるほどの魅力だった。このリシツキーのヨーロッパでの活躍はやがてバウハウスに刺激を与えることになる。彼の構成主義という思想と作品もそうだが、彼の組織力、講演での説得力、それと同時にリシツキーのひときわ目立つ力強く、大胆で、見たこともないユニークさで展開したグラフィック

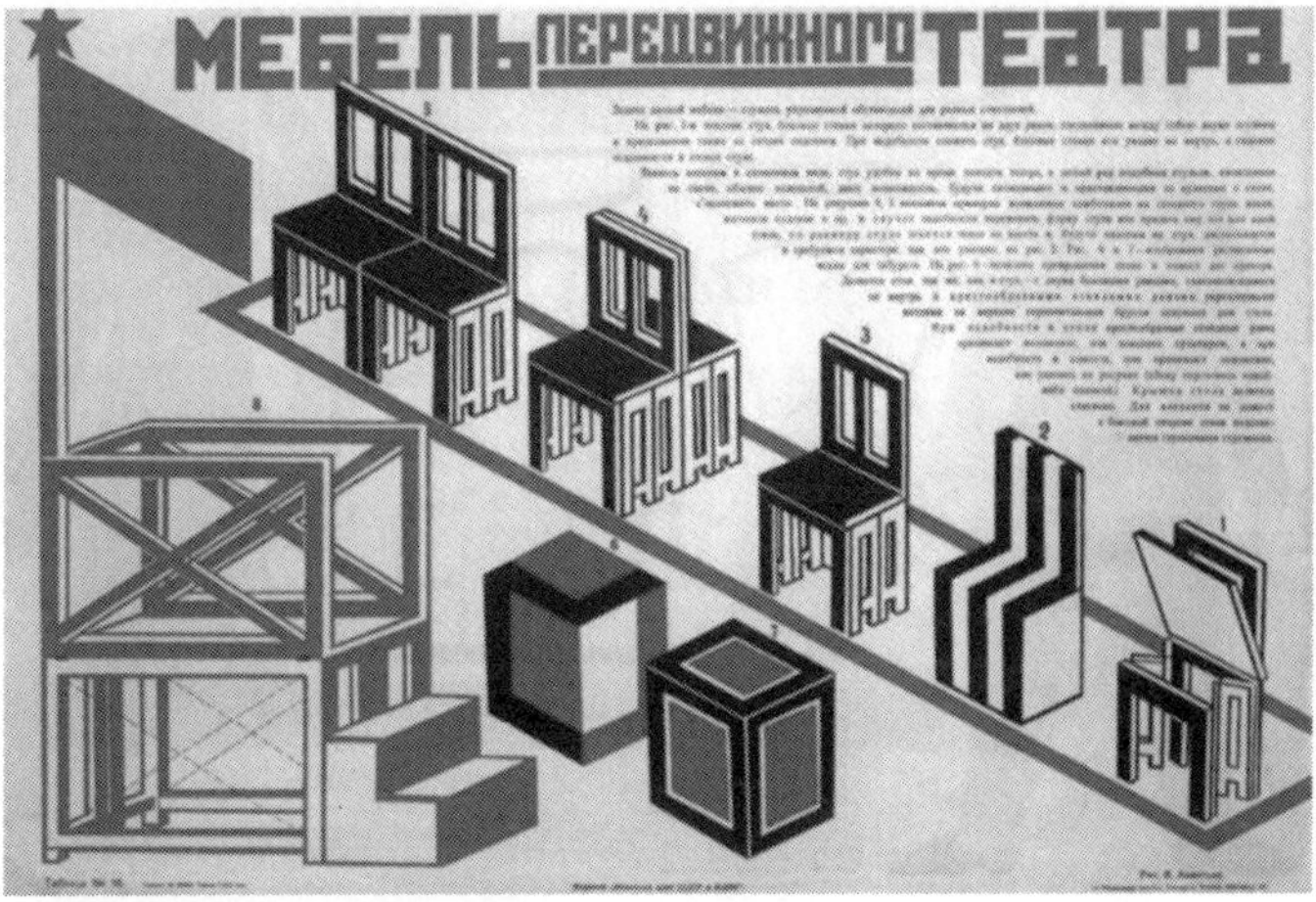

1925年、パリ万博のソビエト館
ブフテマス教員　ロチェンコ　労働者クラブ

ロシア、ブフテマス教員と学生によるデザイン、モスクワ地下鉄構内

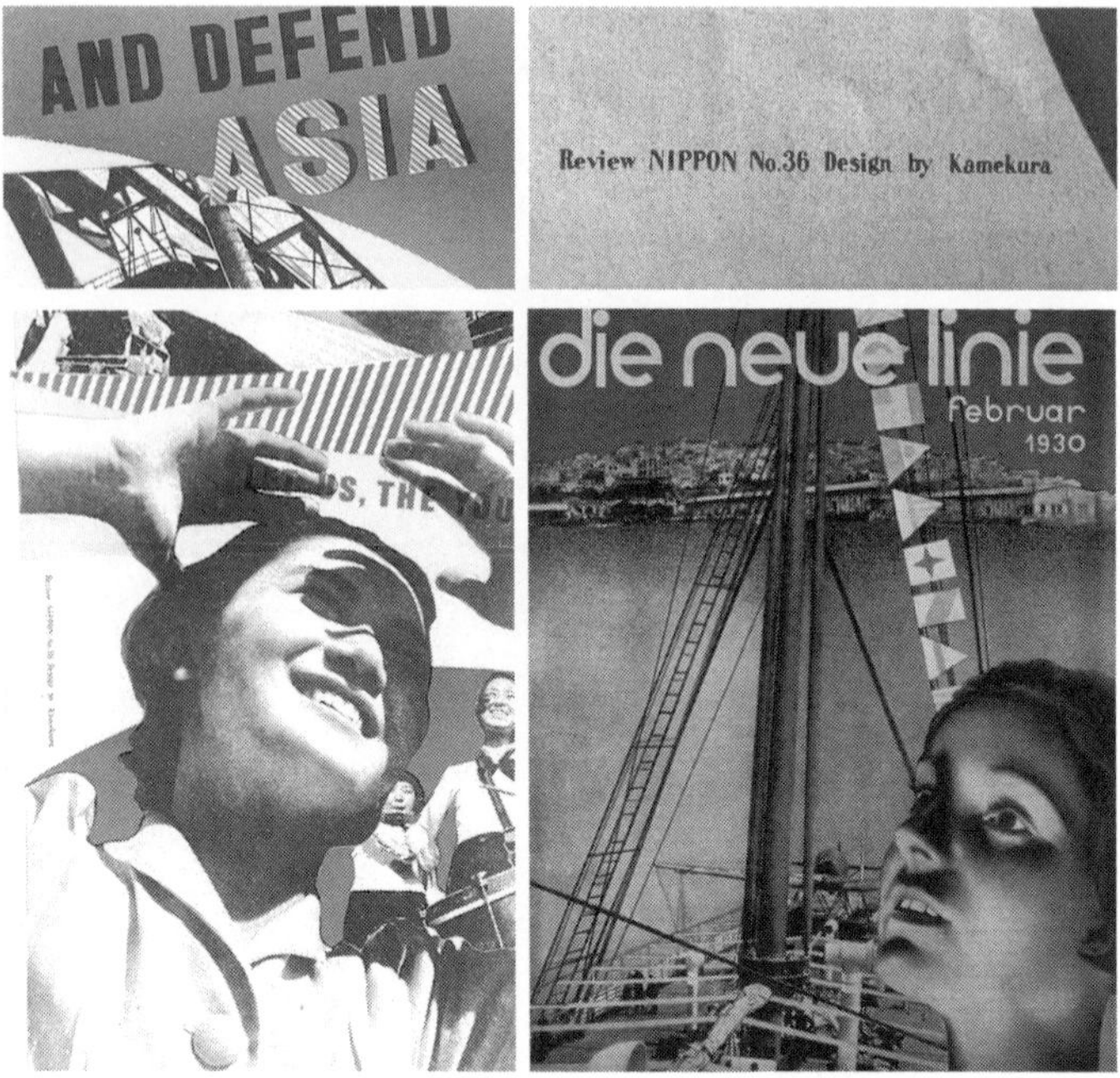

プロパガンダ誌『NIPPON』（1934 創刊、左下）。亀倉雄作のデザインはロシア構成主義のナウム・ガボに学ぶ。右下は女性誌『die neue line』（1930年）の表紙。

デザインこそ、世界にむけて賛同者を得ようとした共産主義という思想の表明そのものだった。リシツキーがロシアからヨーロッパに向かったのは、ロシア共産主義をヨーロッパ諸国に広めるために、公式の任務を負ってワイマールのロシア文化大使として赴任し、バウハウスやデ・ステイルの芸術家などと仕事をすることになる。

　彼のデザインは第二次世界大戦前から出版されはじめた日本の広報資料ポスター（一九三三、日本工房）や雑誌などのタイポグラフィー、レイアウト、装丁のデザインに、デザイン手法がはっきりとコピーされるほど、瞬く間に国境を越えた。

ユダヤ人コロニーの多言語出版

一九一七年のロシア革命につづく内戦で、ロシア人亡命者の数は数百万人とも言われるが、パリ、プラハなどにも逃れた。なかでも各都市にできたユダヤ人のコロニーは積極的に展覧会、講演会を催した。特筆すべきは、このコロニーでは出版社をつくり、祖国ロシアの文化や政治、そしてヨーロッパの当時の文化についての詳しい情報を新聞・雑誌を通して広報したことだった。しかも他のどの国でもなしえない数カ国語で出版したということに驚く。

というのは移民を選ばざるをえなかったユダヤ民族は、出身地域の言語を母国語として暮らしてきた。民族の歴史的な言語であるヘブライ語は会話につかわれなくなっていたからだった。彼らが自由に数カ国語を話すことができるのは、移民を繰り返さなければならなかった民族の非運の証だったが、それゆえ活動の分野は、文学、絵画、彫刻はもちろん、音楽、ダンスなどあらゆる領域にわたった。亡命コミュニティーの活発な運動があったからこそ、二〇世紀ヨーロッパの文明は成熟した、といえる。異なる民族と異なる言語と、異なる文化が出会い、交じり合いが新しい形となって成熟し、ヨーロッパの文化は現在ある形になった。バウハウスもまた亡命者のコミュニティーの活躍なしに語れない。「ごった煮」のバウハウスの魅力は交じり合った文化の放つ香りでもある。

9章

最高の人材輸出、バウハウス

バウハウスが出会った異文化

バウハウスがドイツ最高の輸出品だとするなら、幸か不幸かバウハウスは最高の人材を輸出した学校だった。

活躍した教員の多くはドイツの外から移住あるいは亡命者としてやってきて、やがてドイツから亡命あるいは移住しなければならなかった。ワイマールはヨーロッパでは華やかさに欠ける街だったが、バウハウスがあったからこそ世界中から人材が、学生が集まり、去っていった。なかでも国際的な活躍をしていたアーティストの多くがバウハウスにあつまった。閉校後にヴァルター・グロピウスは亡命先のイギリスから一九三七年にアメリカのハーバード大学教授に、マルセル・ブロイヤーがそれに続き、ジョゼフ・アルバース、モホリ＝ナジもアメリカに亡命してデザイン教育にたずさわる。モスクワのデザイン学校ブフテマスで教員だったカンディンスキーはバウハウスに招聘されてワイマールに、最終的にフランスに移住、など、バウハウスが健在だった当時から現在にいたるまで、その影響力は共に学んだ学生を巻き込んで世界にひろがった。これほどグローバルな人材がグローバルに活躍した教育機関はいまだかつてなかっただろう。

消えたユートピア

一九二〇年代の後半に、ヨーロッパの社会主義ユートピアへの夢は薄くなっていった。経済の停滞が原因だったが、新古典主義を好んだヒトラー、スターリンの到来がその始まりを告げた。

一九二六年にジュネーブの国際連盟本部の設計で脚光を浴びたハンネス・マイヤーをグロピウスは「マイヤーはバウハウスのコンセプトにぴったりだった」と賞賛し、一九二七年にデッサウに招いた。マイヤー自身も世界に名前が知られつつあったバウハウスとの共同作業に期待し成果を確信していた。マイヤーはそれまで『ABC』（建築誌）で経験してきた機能主義や構成主義のプログラムを、バウハウスの教育プログラムに組みいれる努力をした。そこでマイヤーはマルト・スタムとハンス・ヴィトヴァーを教員としてバウハウスに迎えた。当時マルトには仕事がなかったからだ。

まもなく、一九二八年にグロピウスはマイヤーを後任に指名し、学長を退いたが、彼は学長だった期間にワイマールのベルナウに設計した全ドイツ労働組合総連合の研修校と宿舎、テルテン地区にある団地（基本はグロピウス設計だがロベール・マイヤールとの共同作業）の拡張などを手がけている。

この時代にマイヤーをがっかりさせた逸話がある。というのはテルテン住宅のためにバウハウスの工房でデザイン制作した木材の机と椅子は、木の標準部品で構成され、安く、堅牢で軽く、修理も便利だったが、労働者に嫌われた。というのは当時すでにパイプ椅子が話題になり、中産階級に好まれたからだ。労働者にとっても憧れの的だったパイプ椅子でなく、木材の椅子を労働者階級に提供したのは、マイヤーにとって失策だった。

バウハウスでの教育方針はあまりにもマルクス主義寄りで、教員達には不評だったが、構成主義の作風は学生に人気があり、マイヤー風の建築作品をデザインする学生も多く、個人的な仕事にも恵まれた。一九二八年の全ドイツ労連州立学校の設計などはその成功例だろう。

だがナチズムが台頭し、ユダヤ人、共産主義者、外国人などが次第に排斥されはじめ、一九三〇年までにはマイヤーに仕事がなくなり、同年デッサウ市長はマイヤーを学長から追いやった。

スイスだけは例外だった。ここではまだ仕事があった。経済的にも政治的にも安定し、『ABC』仲間だった建築家は充分な仕事に恵まれた。だが、スタム、マイヤー達はスイスで仕事をさがす気にならなかった。というのは、ドイツとオランダという先進の国で充実した仕事に恵まれ、バウハウスという有名な学校の教員でもあり、それなりの名声と実績があるのに、いまさらスイスという建築の後進国で仕事をすれば、ドイツという先進国で打ち立てた名誉を失いかねない、という危惧があったからだった。

モスクワでの挑戦

だが、一九二〇年代のソビエトにはまだチャンスがあった。後進国であり、未開発の資源があり、これから工業的建設を望んでいたソ連政府は、新たな労働者向けの住宅の必要性に気がついていた。外国から優秀な建築家を招いて労働者住宅の建設を急がねばならなかった。なぜならソビエトの建築家はまだ都市計画などは未経験だったからだ。このチャンスをマイヤーとスタムは見逃さなかった。

一九二三から一九二八年までに、エンゲルスの理論に基づいた労働者のための都市計画を発表していたマルト・スタムとハンス・シュミット（スイス人。『ABC』同志）はバウハウスの学生を含め、二〇名の建築家仲間と共にソビエトに向かった。マイヤーを含む同志達は「社会主義のために一切の経験を結集して捧げる決心をしている」と、宣言するほどの意気込みだった。

マイヤーはモスクワに多くのバウハウスの写真資料を持ち込み、すぐさま一九三一年にバウハウス展を開催する。その展覧会カタログは知られなかったバウハウスの事情を蘇らせる。それはバウハウスが企画した都市計画、住宅、家具を含んだ生活用品までのデザインを紹介しようという意気込みにあふれたものだった。そこから逆に、バウハウスがどのようにロシアで受け止められていたかが、ロシア側のカタログの執筆者の紹介文から見える。

展覧会の会期は一週間。一九三一年二月開催の「デッサウのバウハウス、ハンネス・マイヤー指導の時代、一九二八～一九三〇年（Bauhaus Dessau. Period of Hannes Meyer's directorship. 1928-1930）」という展示は、モスクワ市民の歓迎を受けた。ということは、一九三〇年代までにはバウハウスはモスクワで未知ではなかった、ということになる。

その理由はモスクワには「ブフテマス」があり、バウハウスと並ぶアートとデザイン教育をしていたからだ。開校が一九一九年前後、しかもカンディンスキーはブフテマスとバウハウスの両校で教え、二つの学校の学生の交流もあった。

一九三〇年にマイヤーがバウハウスから持っていった都市計画、住宅、家具、グラフィックなどの写真は会場の三面にパネルで展示した。小規模ではあったが、ヨーロッパ最先端のデザインを知らせるには充分だった。

この展示会を記念して出版されたカタログには、展示品の解説もあるが、それよりも注目すべきは、バウハウスの簡単な履歴と当時の工房の運営の実情、そして社会主義と資本主義という政治経済体制の差から生まれるドイツとロシアでのデザインの可能性の差を、グロピウス学校とマイヤール学校、と呼びながら二つを比較し、議論しているところだ。その一部、バウハウス工房についてを短めに引用すれば、以下の通りだ。

バウハウスの工房運営、バウハウス友の会にアイン・シュタイン

〈グロピウスがデッサウ市から団地建設の契約をした時点で、彼はバウハウスのアトリエ：木材、

壁装飾、金属加工、印刷、テキスタイル、の各工房での仕事も市から請け負っている。立方体、長方形、原色、この形と色彩の構成、その具体的な生活への貢献などを考慮した、特別な「バウハウススタイル」が生まれ、これがバウハウスにとって基本的な作業となり、この「バウハウススタイル」は、雑誌広告や建築や芸術関連の研究書で評判になった。バウハウスのワークショップの製品は市民というよりむしろコレクターや美術館に収蔵され、『バウハウスの本』が入門書となった。

バウハウスが出版した書籍の広告に「バウハウス友の会」の知らせが掲載され、入会者には書籍を提供するという特典がついていた。「バウハウス友の会」の雑誌はバウハウス運動の国際的な広報誌となりインテリ層のバウハウスへの関心は、デッサウをモダニズムの巡礼地にするほどだった。ユンカース社があったデッサウでマイヤーが学長になってからのバウハウスの方針はアート寄りから、社会的な関心へと方向転換した。と同時に工房の方針もかわった。工芸品に近いものを生産するのではなく、市民が必要とする、スタンダードなものに、と。

マイヤーの時代になった二年間で工房収入は一万二八〇〇マルクから二万四〇〇〇マルクへと増え、最後の一九二九年から一九三〇年には、学生が外部の工場で三万二〇〇〇マルクの賃金を稼ぐまでになった。しかも、一九三〇年の春までに学生は労働者の住宅九〇戸をデッサウ市に建設する。

だが、共産主義者として活動してきたマイヤーの教育、「赤い旅団」の学生達の存在はデッサウ市の行政に疎まれ、彼はバウハウスを去ることになる。資本主義という体制の下ではなく、ソビエトで社会主義の建設に協力するために〉。

ここまでが、ロシア側の展示キュレーターによるバウハウスの活動、評価と批判だが、「バウハウス友の会」のメンバーの一人に、グロピウスの知人の一人であり一九二一年にノーベル賞を受賞したアイン・シュタインがいた。二人は後にアメリカで再会する。

以下に再度マイヤーを招いたモスクワ美術館キュレーターのマイヤーへの呼びかけを紹介しよう。

「最後に、ハンネス・マイヤーと彼の同志が、単に専門家としてだけでなく、資本主義の状況では科学的および技術的発展が不可能であることを認識し、意識的に彼らの労働を科学の目的に捧げている人々としてソ連に来たことは、私たちにとって非常に価値があります。労働者階級、ハンネス・マイヤーと彼の同志たちは、プロレタリアの専門家たちと結束し、ソビエト労働者階級の仲間入りをした。これは、世界中で社会主義を建設するためのグローバル・プロレタリアートの衝撃部隊である」「このバウハウス展は、大きな意味のあるものだ。一方でバウハウスの最後の記録であり、他方で、資本主義ドイツの支配的なブルジョアのイデオロギーとの和解できない矛盾の中で生まれたプロレタリア芸術が、どのようにできてきたかを知らせるからだ」

この展覧会は、好評だった、とキュレーターは結んでいる。

マイヤーのソビエト

『モスクワの建設』ポスター、ブフテマス教員のリシツキー
赤線で古いものはダメ、下のようにモダンで。1929 年

ハンネス・マイヤーとその同志は、ソビエト・ロシアの数々の建築を手がけるチャンスに恵まれたが、ソビエトの官僚主義と、個人名での設計は認められず、外国人の建築家の名前ではなく、チームの一人として扱われ、夢に描いた栄光はかけらもなかった。マイヤーは一九三三年までヴィジスクールで教員をし、ソビエトでの建築はわずかな実績をのこすだけで、構成主義建築を記念するかけらも

実現することはなかった。スタムの計画も一部だけ採用されたが、望んだ成果は何一つなかった。ソビエト・ロシアはスターリンの権力が増すにつれて新古典主義に傾倒するようになり、外国人モダニストに対する寛容さが消え、ソビエトはナショナリズムに邁進した。スタムとハンス・シュミットは一九三四年に、マイヤーは一九三六年にソビエトを去る。ソビエトは彼らのマルクス主義者としての夢を打ち砕いた。

マイヤーはチェコに逃避したあと一九三七年にスイスに帰国し、スイスでもチャンスがなく、一九一〇年代に革命があったメキシコ移住をえらんだ。メキシコでは高い地位に就いたが、もはや構成主義建築と都市計画の建築家マイヤーの時代ではなくなっていた。祖国スイスにもどり、失意のままに亡くなった。

ユートピアの産物——バウハウスの栄光

バウハウスの栄光は、時代が求めたユートピアの産物だった。それがモダン、直線、白、ガラス、鉄、という外形をとるように見えながら、バウハウスが現代にまで残した栄光とは、量産品でも、建築でもなく、視覚的な教育システムだ。

その教育システムが異なる文化の地でそのまま根付いたわけではない。それぞれの国に、それぞれの地で元バウハウスの教員達、あるいは教育を受けた学生達が、教育者として現場に立ったからこそ

凱旋展覧会、一九三〇年
パリ装飾美術協会万博、ドイツ館

一九三〇年パリ装飾美術協会の国際展示で、ドイツはバウハウスを全面的に支援した。グロピウスはすでに学長職を退いた直後だったが、バウハウスのアトリエから生まれた量産可能な製品を、それに相応しい空間に展示した。中でも目を引くのはマルセル・ブロイヤーのパイプ椅子だ。入り口に貼ったポスターはだれもの記憶に残った、という。バウハウスにとって勝利の瞬間だった。この機会にグロピウスを初めとするバウハウスのメンバーは数多くの歓迎招待のなかでも、そろってパリで活躍した画家、ソニア・ドローネの家に招かれ、同伴した夫人達にそれぞれ、ソニアデザインの華やかなファッションが贈られた。

の効果だった。一九三〇年代のドイツのナチ政権の誕生、ロシア革命後のレーニンからスターリンへの政変、それらがバウハウスの教員達、学生達に移住を強いた。一九三〇年代に移住あるいは亡命を強いられた人々がドイツ以外で残した文化の交配は数知れず、バウハウスはデザインという分野の教育的な交配の一例となった。

ドイツ最高の輸出品――「世界は一つのバウハウス」展

ドイツ政府は誕生一〇〇周年を記念してバウハウスを「ドイツ最高の輸出品」と讃え、同時にバウハウス一〇〇歳の誕生日を世界が祝った。開校から一〇〇年後にこの短命だった学校を讃える行事を催すことは異例のことだ。「世界は一つのバウハウス」展の主催者のイファ（ＩＦＡ。ドイツ対外文化交流研究所、一九一七年創立）はシュトゥットガルトに本部を置く国際的な芸術交流のために文化情報提供をする機関だ。各国でドイツの造形芸術、写真・映像、建築、デザイン展を組織し、国内でアフリカ、アジア、ラテンアメリカ、そして東ヨーロッパの作家にベルリンとシュトゥットガルトにあるギャラリーでの展覧会を支援してきた組織である。その展示企画は、ワイマール共和国、国家社会主義ナチズム、戦後、ベルリンの壁崩壊、東西ドイツ統合など、各時代にわたってＩＦＡは複雑な行事と取り組んできた。

「世界は一つのバウハウス（DIE GANZEWELT EIN BAUHAUS）」というタイトルは、すべての道はローマに通じるようにモダン・デザインのすべてはバウハウスに至る、という意味でもあろう。だからこそ二〇一八年六月に、アルゼンチンのブエノスアイレスを出発し、メキシコ、カサブランカ、サンチアゴ・デ・チリ、カルカッタ、モスクワ、モンテヴィデオ（ウルグアイ、南アメリカ）そしてアメリカを巡り、二〇一九年一〇月二六日にドイツ、カールスルーエで最後の展示を迎えた。

二部構成の企画の一部はバウハウスの歴史遺産の展示。第二部はバウハウスを広い視野から捉えたもの。一九二〇年代の世界をかけめぐったアバンギャルドな運動が、社会が変化するにつれてそれぞれの地域文化と寄り添いながらモダン・デザイン運動に結びついた、という視野だ。それぞれの国、それぞれの地域のアーティスト達はバウハウスに魅せられながら、チリの政治状況、メキシコでの急激な工業化、カサブランカの植民支配後の状況、などを背景にしてバウハウスの思想と方法論をつかみとりながら、どんな近代文化を目指そうとしたのか、の分析だった。

バウハウスが世界のそれぞれの文化に寄り添って受け入れられた、という視野こそバウハウスとは何かを物語る。単なるモダン運動、モダンなスタイルの伝播ではなかった。モダン・デザイン教育でもなかった。デザイン教育の、視覚的なデザイン訓練の仕組みが、語学を学ぶためにアルファベットをまず取得するように、バウハウスのカリキュラムはそれぞれの言語文化に寄り添って受け入れられた。異なる文化の、異なる言語を乗り越える視覚的な理論と演習があったことを「世界は一つのバウハウス」展は世界に訴えた。

バウハウス最大の現役遺跡——イスラエル、テルアビブ

地中海に面したモダンの白い街の名前はテルアビブ。

ヨーロッパでナチが権力を持ち始めたころ、イギリスが統治していたパレスチナ（一九四八年にイスラエル国となる）に、ドイツ（六万人）、オーストリア、ロシアなどから（三四万人以上）ユダヤ人が難民となって流入した。難民のための住宅建設は急を要し、モダンな住宅が目立つようになった。いまでもイスラエルの首都、テルアビブには四〇〇〇戸ものモダン、バウハウス風の建物がある。その街の名前は白い街（La Ville blanche）と呼ばれ、おそらく世界のどの街よりも色濃くバウハウスの面影を残した住宅地だろう。二〇〇三年にはユネスコの世界文化遺産として認証されたほど特異なバウハウスの遺産だ。

ユダヤ、難民、パレスチナという世紀の悲劇がモダンの宝庫に変身した場所は、かつて古代地中海の港、ヤッファ近くの砂丘にあった海辺の村だった、この村がテルアビブとなった一九〇九年から一〇年後にドイツでバウハウスは開校し、イスラエルにユダヤ難民の流入が始まった。一九二〇年代にこの地の開拓がはじまり、一九五〇年代にほぼ現在の都市に成長した（一九四八年に建国宣言）。

イスラエルにいた建築家の中には一九三三年にナチスの命令で閉校に追いやられたバウハウスで学び、その影響を受けた学生が多かった。バウハウスが閉校に追い込まれたから、という理由だけではなく、ユダヤ人ゆえにヨーロッパでは建築家として仕事がなかった。イスラエル側では流入する移民

の住宅不足は目にあまるものがあり、この砂浜に近い、伝統の建築様式を持たない村、という白紙のキャンバスで、新しく数千という単位の住宅をつくることになる。

バウハウス様式は、テルアビブで仕事をするデザイナーたちの、モダンな建築、モダンなインテリア・デザインを試みるチャンスになった。ただし、ヨーロッパのバウハウス風の建物とテルアビブとの違いは、ドイツと違う地中海の気候に合わせる必要があったことだ。ガラスの窓を太陽光が差し込みにくい凹面の壁につけ、なるべく面積を減らして熱を防ぎ、海からの風をとりいれるためのバルコニーを狭い面積で西側につけ、その真上にさらにバルコニーをのせて陰を作った。それは海からの微風を楽しむためのバルコニーだった。「白い街」の由来からもわかるが、建物の外装が白あるいは明るい色であるのも、イタリアの村と同じように熱を反射させるための対策だった。このバウハウス風の建物があるのはロスチャイルド通りだ。

バウハウスは、まずロシアに、そしてイスラエルの都市計画要員としての人材、建築家を数多く輸出、いや派遣した。

10章

「メイド・イン・イングランド」と「メイド・イン・ジャーマニー」の争い

メイド・イン・イングランドから

イギリスやフランスは第一次世界大戦直前の一九一四年には、世界中の植民地から資源を強奪して豊かになっていた。だがビスマルクの政略で統一ドイツ政権ができたのはやっと一八七一年。軍事力で植民地獲得に遅れをとったドイツは、イギリスとフランスの豊かさに追いつこうと選んだ道の一つが、工業製品の品質を良くしてイギリスに勝る産業立国になることだった。

その道のりは予想を裏切って短かった。これほど簡単にイギリスを追い越すとはドイツ産業界も想像しなかっただろう。

イギリスの輸出と輸入のバランスが狂い始めた。輸入の量も金額も増え、輸出の減少は深刻だった。同じ時に世界の貿易はといえばドイツとアメリカの輸出量がめざましく増大していた。ドイツは鉄鋼製品でイギリス市場を追い越し始めていた。

この変化、イギリスの産業が衰退していった原因は想像以上に単純なものだった。イギリスの輸出額が少なくなった原因はイギリスとドイツの当時の産業最前線での戦いの差だった。

ドイツは国外での機械、技術の革新とその世界市場での競争力を分析し、生産効率のよい機械をまず手に入れなければならない、と判断した。そこでイギリスで輸出を禁止していたはずのイギリス製の最新機械をドイツ政府は買い求め、ベルリンの研究所に投入し、そこで機能を試した。優れた機械だったらそのモデルをつくり博物館で保管した。いやドイツは購入した機械を優秀な製造業者に与えた。最先端の生産機器をつかった成果は一八八〇年から一八八五年頃までの五年間でドイツの貿易額がイギリスに迫るほどの勢いになった。

とはいえ、ドイツで産業革命がはじまったのは一八四〇年代からだった。イギリスに遅れること一世紀。だからその技術の差はあきらかだった。だがドイツの作戦はしたたかだった。前述したように、すでに稼働していた新しい機械をイギリスから買い、生産の技術もイギリスに見習えばよかったから、イギリスとはちがって産業化に必要な技術革新に多くの財と時間をかける必要がなかった。皮肉にも産業革命の本国イギリスでは、新たな機械に買い替えるまでもなく、古い機械を使い続けていた工場が多く、全体として生産の効率はあがらなかった。イギリスは生産の効率に遅れをとっただけでなく、必然的にその機械から生まれる製品の販売価格もドイツに負けた。特に化学（染料、肥料、医療）の分野ではＢＡＳＦとバイエルとヘキスト、電気ではＡＥＧとジーメンス、などが群をぬいてドイツの有力な産業に成長していった。はじめて電車を走らせたジーメンスは発電機、送電線の生産はもちろん、大型の電気事業でも世界を圧倒した。一八九四年から一九〇四年までに鉄を主な素材とする製品ではドイツの輸出が倍増し、一九一三年までにはイギリスを追い越した。例えば明治維新初期の一八八七年にはじまるドイツから日本への輸出は、電信機、発電機などがあり、これらは鉱山開発、水源事業、などの大型機器ばかりだ。いや日本だけではなかった。顕著なのは近代化に遅れた国々の電化の基盤をつくったのはドイツ企業だった。もちろんドイツ勝利の背景にはアメリカとの技術提携があったことを見逃してはならない。

あるイギリスの保守的な新聞記事に次のようなものがあった。

「ドイツの進歩のほとんどは国民への科学教育によるものだ。イギリスと違いドイツの労働者すべてが技術教育を受けている。イングランドでは既得権にあぐらをかき、貿易相手の言葉さえ学ばず、外国での礼儀も学んでいない。その点ドイツ人は、自分たちが劣っていると感じそれを技術や知識で補おうと努めている……。我々は学校へ行き、隣人を学ぼう。それは屈辱的だが、否定できない事実だ」

（The Hardware Tradejournal, 31. July, 1896）

国内で教育をし隣人に学ぼう、ここまではいいが、たとえとしても屈辱的だが、とは、いかにも当時の最高の富を築いたイギリス人らしいおごりで、不遜な表現だが、これがイギリスの本音だった。別の記事にはドイツの商社の人々は数カ国語を自由に操った、とも観察している。

争い「メイド・イン・イングランド」と「メイド・イン・ジャーマニー」

　産業革命に成功したイギリスは、一九世紀はじめにはメイド・イン・イングランドといえば品質の高さを示し、世界に君臨する産業国になっていた。巨大な鉄道や機関車はもちろん小さな日用品、例えば家具、鏡、銀燭、棉、麻の繊維、などまでも全世界に輸出された。それだけではない。小さくて安物の商品アクセサリーのバックル、ボタン、リボンなど女性好みのアクセサリーでさえイギリスは国内外の市場を圧倒する勢いだった。

　この成功は一八五一年のロンドン万博で頂点を迎える。だがドイツという強敵が現れた。といっても今あるドイツとは違い多数の連邦国家にすぎず、イギリスのように植民地を従えたグレートブリテンといわれるような巨大な統一国家ではなかった。だが一八七一年にビスマルクがドイツに現れたころから経済の近代化が進み、工業も近代化の道をあゆみはじめた。それは第一次世界大戦がはじまる少し前のことだった。

　統一ドイツ（一八七一）になる前のドイツ製品は、評判が高いイギリス製品のコピーばかりだった。それも粗悪品であり、コピー商品にメイド・イン・イングランドと刻印してあっても、ひとめでイミテーションとわかる製品だったから、これといってイギリスで問題になることはなかった。というのは逆に当時のイギリス人にとってメイド・イン・ジャーマニーといえば粗悪品の代名詞だったからだ。イギリス人をだまして販売するためにドイツ製品にメイド・イン・イングランドと刻印したわけではなかった。イギリス製品にあこがれたドイツ人の需要に応えるために、偽のメイド・イン・イングランドをドイツで生産し刻印し、ドイツで販売するための苦肉の策だった。ドイツの生産者が、国内のドイツの消費者をだましていたのだ。

やがて、イギリスの製品よりも良い製品がドイツで生産できるようになり、メイド・イン・イングランドと刻印されたドイツ製品がドイツ国内はもちろんヨーロッパ諸国への有力な輸出品に成長した。

当然、本家イギリスの輸出額は減り、対抗策としてイギリスは国内製品でなければメイド・イン・イングランドと表示してはならない、と法律で取り締まり、国産を保護し、国民に国産品愛好を呼びかけた。ところがこれはイギリスにとって逆の効果を招いた。というのは、すでにドイツ製品の良さを味わってしまったイギリス国民は愛国者であっても、こぞって、今度はメイド・イン・ジャーマニー、と正直に刻印されたドイツ製品を買い、イギリス国内だけでなく他国でも同じ状況を招き、ますますイギリスの輸出額は減るばかりだった。

メイド・イン・ジャーマニーというラベルは名前のとおり一八八七年には、生産国ドイツを証明するためであり、逆にそれらがイギリス製でないことを示すためだった。原産国の表示はイギリスとドイツの産業競争が生んだシステムだった。生産者責任を問うものではなく、信用を問い、その製品の良さを宣伝するためでもあった。大量に市場にでまわる工業製品が巻き起こした事件にも等しいラベル告発だった。

二〇世紀の初めには「メイド・イン・ジャーマニー」のドイツ製品は国際的な信頼を得るまでに

成長した（戦後一九五〇年代から一九八〇年代にも日本でも同じことが起こり、一九八〇年までにカメラ、時計、オーディオ製品が世界の市場を潤わせた。品質だけではない、優れたデザインへの評価もあった）。この工業製品をめぐるイギリスとドイツの戦いは、まもなく第一次世界大戦をひき起こすことになる。

イギリス、ウィリアムズの告発

イギリスの産業がドイツに遅れをとっていることに気がつき始めた頃にアーネスト・ウィリアムズは『メイド・イン・ジャーマニー』を出版した。この出版でイギリス言論界は湧き上がった。不況のまっただなかでドイツ工業の攻勢に直面していた最中であっても、大英帝国の夢からさめなかったイギリス市民への警告の著作だった。ウィリアムズが栄光にみちたヴィクトリア経済に決別を告げようと、提案する著作でもあった。

というのはイギリスの外では複雑な戦争にあけくれていた時代だったが、イギリスは戦争にまきこまれることなく、国内でストライキはあったが反乱も戦争もなく、逆に国外の戦争によって利益を得ていた。大陸諸国が戦争で消耗している間にイギリス産業界の覇権は不同のものとなり、世界のあらゆる市場を支配する万屋になっていった。

イギリスは機械、陶器、金物、銃器、刃物、橋梁、鉄道、レール、列車、あらゆる小型工業製品などを植民地はもちろん地球上のあらゆる地域に輸出した。陸上は鉄道で、海上も船舶で商品を運んだ。

ところが、一九世紀末には農業国だったドイツは、いつのまにかイギリスの後を追っていた。イギリスは、ドイツが必要とする物すべてをイギリスが輸出している、と信じていた。ところが、ドイツは、ドイツ製品でイギリスを満ちあふれさせていたのだ。問題はイギリスでも生産されている商品がほとんどだったことだ。しかも同じ製品ならイギリス製のほうが品質は勝っているはずだった。鉄鉱、造船、金物、繊維、化学、その他にも小型の工業製品などイギリスよりも品質の劣る製品がドイツからイギリスに輸入されているはずだった。だからイギリスはなぜ輸出量がドイツに負けているのか、わからなかった。

イギリスが気がつくのに遅れをとった原因は、イギリスの別の輸出先、オーストラリア、ニュージーランド、インド、などで輸出は増加傾向だったことだ。それ以外では減少していったことに気づきながらも目をつむったのだろう。つまり、資源と労働力の搾取先であるイギリス植民地への輸出だけが順調だったことが原因で、他国への輸出にかげがさしていることに目を向けようとしなかった。

ウィリアムズが嘆くのは輸出先だけではない。イギリスが発見しイギリスが開発した製品がドイツからイギリスに逆輸入されていたことだった。しかも前述のように、小型の製品や玩具などには「メイド・イン・イングランド」と刻印してあったことだ。

とはいえ、小型の量産品の負けはさておき、鉄鉱の負けもあきらかだった。ドイツはビスマルクの保護政策が幸いし、なお脱リン法から平炉法を開発し、鉄を安く生産できるようになっていた。低賃金だからコストが低くなるのではなく、新技術が鉄鉱の生産コストを下げていたのだ。ところがこの鉄の生産方式、脱リン法はイギリスが最初に発見したものだった。

アニリン染料の九割はドイツから輸入していた。これもイギリスの発見だったが、イギリスの業者はけちで研究費をけちり、研究者が六人以上もいる企業はなかった。ドイツには六〇人もの研究者がいる企業があり、彼らに十分な給料を支払っていた。ところがイギリスの金持ちの工場主は狩にゆくか田舎に別荘でも建てるか、と気取っていた。玩具もドイツ製品のほうがイギリス市場を潤していた。低価格で、精巧で、デザインも優れていた。

外国に赴任しているドイツ政府機関の役人が営業の手伝いしていることも、ウィリアムズにとっての驚きだった。イギリスにはコマーシャルアタッシェ（通商のための専門家）がいない、とウィリアムズは嘆く。

しかもドイツの教育は実践的で化学教育は抜きんでてすぐれていた。そのイギリスとドイツの差は「電球とローソク」ほどもあった、とウィリアムズは言う。だが最も見落としてはいけないことは、ドイツ人という人間の気質と努力だ。イギリス人は自分の国の制度を外国人におしつけたが、ドイツ人は外国人には柔軟に対応し、さらにドイツは広告がうまかった。

日本の明治時代の記録にも、イギリスは大口の取引には好意的に応じるが、少量にはよい返事がなく、日本側が要求する商品の変更に応じない、と不満が見える。

だからイギリスがドイツに勝つには、とウィリアムズは一二箇条を提案する。

一. 顧客の好みを調べる。
二. 外国語に堪能な人物を送り出す。
三. 小口注文でも軽蔑しない。
四. 最新の情報に注意をはらう。
五. 設備を近代化する。
六. メートル法を採用する。
七. 貿易相手国の貨幣、度量衡、制度を尊重する。
八. もっと芸術的になる。
九. 模倣技術に習熟する。
一〇. もっと大胆に宣伝する。
一一. 労働争議をさける。
一二. もっと進歩的になる。

さらにウィリアムズの提案は次のように続く。

一. 繊維製品では、外国人のデザインの優秀さおよび大衆のニーズにあわせる柔軟さがあること。
二. 国家による教育機関の充実。学費は無料あるいは安く。産業教育こそがイギリスを救うだろう。

三．保護貿易をドイツに見習おう。ドイツでは輸入品に税金をかけない。だから製品も素材も安く入手できている。そのための国家による助成が大切だ。

これが一九世紀末の提案かと驚くが、現在でもうなづける警告だ。ウィリアムズの指摘は、当時のイギリスの国家としての産業政策の不備に向けたものだった。

イギリスは政府が直接生産の現場、あるいは輸出入の現場に、つまり民営の事業に口をはさむことはなく、国家として産業政策を実行しなかった。その反対にビスマルクが活躍したドイツ政府は国を挙げて産業機器の購入に資金を投入し、直接輸出入の支援にかかわっていた。それは生産技術の後進国ドイツだったからこそ選んだ政策だった。

流出した頭脳

イギリスは植民地に依存度を高めながら、工業製品ではヨーロッパ市場での販売が減少するのに五〇年かからなかった。イギリスの世論は反ドイツを謳い、ドイツへの怒りを高めていった。保守的な「Made in Germany」の記事が掲載されたのは、まさにこの時だった。国民が喜んでこの表現を、安かろう悪かろう、の代弁として受け取りたがった。

ドイツの輸出金額がはじめて輸入を上回ったのは一八九四年だったから、ウィリアムズの観察と分析の記事は一年だけ早かったことになる。いやもっと早く産業の事態を公表していればイギリスは別の手をうっていたかもしれない。

ところがイギリスの鉄鋼業界は、ドイツから安い鉄が入ってくるのはイギリスで生産する機械を安く作る経済効果につながるからいいことだ、とウィリアムズの意見に反論した。だがイギリスの産業界がまったく見落としていたことは、アメリカ合衆国がすでに大きな競争国としてドイツに代わろうとしていたことだった。その最大の理由は、実業家達がイギリスからアメリカへ、と頭脳流出し、さらに織物製造業はイギリスのコベントリーからアメリカのニュージャージーへ、鉄鋼労働者はシェフィールドからアメリカに、と海を渡っていた。

産業の世界に限らず、政治もアートの世界でも、才能のある人材こそが国家の基本的な資産であることにイギリスは気がつかなかった。植民地政策が最優先された時代には、兵器と兵力、力そのものが国力の基本にあったからだろう。だが時代はやがて産業が国家の基盤となり、それを担う技術者に国家の基盤が移動していった。イギリスの人材は新天地を求めて、未開と知りながら、一七世紀にはじまった植民地へ、まだ覚めやらないアメリカでの成功に夢を追った。もちろん、故国ではかなわない夢を、つまり宗教的な排斥もなく、ユダヤ排斥もなく、階級制度もなく、学びの場も選べたのがアメリカだったからだ。

プレハブを輸出したイギリス

庶民でも買えるT型フォードの安さは、量産というシステムの成果だったと、一八八八年生まれの建築家ジークフリート・ギーディオンは語るが、彼は少年時代にT型フォードをみながら育っている。建築業界は長いあいだ、「ヘンリーフォード症候群」という業界特有の発作に苦しんできた。フォードが自動車を大量生産したように、スタンダードで、良いデザインで、低価格で、住宅を大量生産できないのはなぜか、と。この焦りを「ヘンリーフォード症候群」と名つけたギーディオンは（Siegfried Giedion「時間・空間・建築」一九二八）「Wohnford（wohn＝ドイツ語で住む、ford＝フォード）」つまり「フォード住宅」と呼び、量産建築を夢見た。一九〇八年の（フォード）モデルTはあらゆる産業の分野に、規格化、量産への可能性を問いその道を開いた。

伝統的な設計と建築プロセスでは都市の貧しい人々の、いや中産階級の住宅でさえ建設できないのは一九世紀末にわかっていた。それをプレハブという建築の量産技術で貧しい労働者にも提供しようとモダンを目指す若い建築家が社会主義的な思想で細部にわたって設計に取り組んだ一九三〇年代。ヨーロッパの二つの戦争の間（大恐慌だったアメリカではそれほどではないが）は、混乱の時代だった。プレハブのシステムは、必要な建築部材をモジュールに従って、スタンダードに生産し、それらの部材をどんな順序で組立てるか、の回答がプレハブのシステムだ。プレハブ・システムが若い建築家に受け入れられたのは、スタイルが過去の様式とは無縁だったからだ。といってもプレハブ建築には一九世紀以前の先史時代があった。

プレハブ住宅は植民地へ

プレハブ住宅はまず植民地のために開発された。国内利用のプレハブもあったが、一八世紀にはプレハブ住宅のほとんどはヨーロッパからアフリカ、アジア、南北アメリカ、オーストラリアに向けて、驚くほど大量に輸出された。遠い建築現場へ部材を輸送し、現場組み立てを試みたのだ。ギルバート・ハーバードの研究（Gilbert Herbert: Pioneers of Pre-fabrication）によれば一八世紀末頃からヨーロッパの本国から建築部材を植民地へ運んだ。まず、本国から植民地に派遣される役人の住宅、病院、そして集会場などをプレカットされた木製軸組部材や木製パネルを本国でつくり、これを現地に運ぶ組織ができ、一九世紀初めには入植民の住宅が既製品として販売された。ということはプレハブの建物はヨーロッパ人の需要を満たすためのモノであり、植民地の住民のためではなかった。その初期のスタンダードな姿は木造の棟割り長屋だった。

輸出したプレハブ建築の種類は多様だ。たとえば、病院、学校、倉庫、工場、市場、店舗、教会、集会所、兵舎、要塞、灯台、橋、劇場、展示場、オフィスとアーケード、温室、農場の建物、ガス工場、鉄道の駅舎、などなど。植民地とはいえ、ヨーロッパ諸国は、その地を永久支配地にするつもりだった。それゆえ本国と同等の設備を至急に造ろうとした。本国から移住する自国民のために、見栄えがよい街を造る義務があった。だからこそヨーロッパの都市にあるものと同等の建築物が必要だった。本国から植民地、アフリカ、アメリカ、オーストラリアへ、その広大な領土の開発、経済的搾取に向かう国民に、祖国と同じような錯覚のなかで胸を張って働いて欲しかったからだ。

建造物だけではない。同時に国際的な運搬網、鉄道、蒸気船、そして銀行のネットワークなしには効率的な建設作業はできなかった。

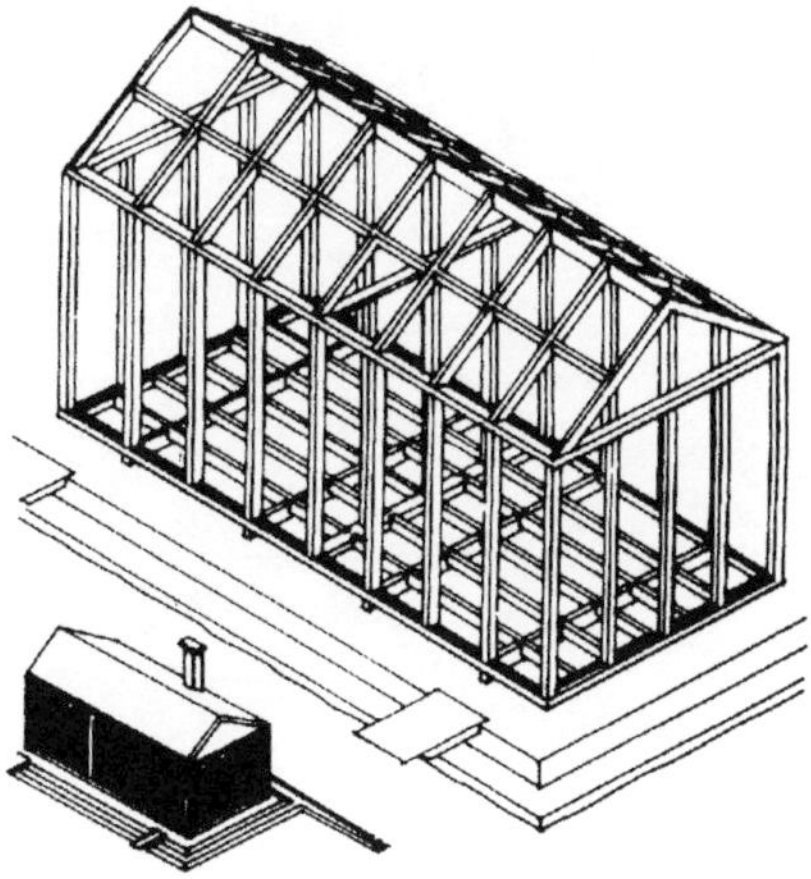

イギリス、マニングのポータブル住宅。18世紀

レンキオイ病院（Renkioi Hospital）は、木材でできた、プレハブのパイオニアだった。クリミア戦争の時にイギリス軍の兵士を収容し治療するための病院建設は一八五六年五月に始まり三〇〇床の予定だったが、一二月には一〇〇〇に、それが二〇〇〇まで増えた。クリミア戦争で天使と呼ばれたナイチンゲールの観察と手腕で、野戦病院の不備とあるべき病院の姿が明確になって設計されたプレハブ病院だった。チフスが蔓延していたために山奥に建設する必要があり、小さなブロックで運べるプレハブ工法でなければ運び込めなかった事情も、この工法の進化に寄与した。

入植者のプレハブ

植民地の資本家達は安いプレハブ住宅を望んだ。一八二〇年にイギリスが東ケープ州に五〇〇〇人を派遣した時、移民局は木材でできた分解可能な木造小屋を注文した。一八三〇年代にロンドンの工務店マニングが考案した「ポータブルコロニアルコテージ」は単純な作業だけで完成する設計でプレハブの住居のパイオニアとなり、南オーストラリアの定住に不可欠な住宅になった。

なぜ、「ポータブル」かといえば、移民労働者を雇った主人は、必ずしも土地所有者ではなく、開発が終わればすぐ引き払って別の開発地に向かうために労動者の住宅も移動させる必要があったからだ。

マニングの逸話

一八三〇年ころの面白い話がある。それはイギリスからオーストラリアに移民してきた数人の青年が船から降りて地上で暮らし始めた。ほとんどの青年はテントを持参し、大雨や強風にあって散々な日々を過ごした。だが組み立て式の木造家屋を船に載せてやってきた青年だけが快適な日々をすごせた、という。イギリスで大工だったヘンリー・マニングという父親の息子だった。マニングは持ち運びできる小屋、という名前のプレハブ住宅を開発生産していた。

イギリス植民地だったバルバドスの移動プレハブ住宅。土台ごと移動

ロンドンで棟梁だったマニングが開発したポータブルコテージは簡単に建築できた。息子に持たせた見本住宅こそ最初のプレハブ住宅だ。これは、溝がついている柱と木材の壁、床材と三角のトラスに組んだ屋根材、がセットになっていた。部品がスタンダードだったから取り換えができ、住宅の広さも柱の溝で変化させることができた。船で運搬しやすい梱包だったのに加えて、部材は一人の男が長距離を一人で持ち運べるようにしてあった。鉄道などの移動手段がまだなかったオーストラリアという未開の植民地にとって、荷物の重量は大切だった。材木は組み合わせに必要なカットがあり、釘を打つ必要もジョイントをつかう必要もなく、入植したばかりの技術のない素人でも簡単に家を建てられた。ということは、特別な工具を必要としない建築現場だった。

一八三〇年までオーストリアの人口の七〇%以上、そのうち八〇%が一六歳から三五歳までのイギリスからの囚人であり、なお彼らはロンドンの労働者と同じ程度の熟練労働者で、識字率も同じくらいだった。植民地の建設現場で、この豊かな労働者をつかって病院、兵舎、教会、学校、道路、橋、などのインフラを急いで建設した。というのは、独立戦争でアメリカがイギリスの植民地ではなくなり、アメリカに送っていた囚人を別の、イギリスから離れたところに追放しなければならなかったからだ。急いでみつけたのが、さらに遠いオーストラリアだった。植民地獲得競争に勝ちたいイギリスにとって、オーストラリアという新天地を自国にする労働力を必要とし、なお知識のある囚人は必要不可欠な労働者だった。

プレハブ住宅は、それが植民地用でも国内労働者のためであっても、モダン安普請の住宅の群れは、同じ落ち着き先をみつけた。同じスタイルの建物が並ぶ、どこにいるのかがわからない平凡な風景がそれだ。

「メイド・イン・ジャパン」のブランド

日本でドイツ製（メイド・イン・ジャーマニー）という表現が品質の悪さをあらわす言葉だった、と知ったらだれもが驚く。だが一九世紀後半までは、これはヨーロッパ人にとってあたりまえのことだった。このドイツの製品に対する悪評をなんとか挽回しようとしたのが、ドイツのワイマール政府の要人のひとりヘルマン・ムテジウスだった。後にデザイン運動を指導し、バウハウス創立のきっかけをつくった。この時から二〇年もたたないうちにドイツはメイド・イン・ジャーマニーの印象を一変させるるまでに成長し、その信頼はいまだ揺るぎない。

メイド・イン・ジャパンといえば「安かろう悪かろう」といわれた時代を語る映画「バック・トゥ・ザ・フューチャー」が、なぜか心に滲みる情景を見せている。

「バック・トゥ・ザ・フューチャー」で一九五〇年代に生きた少年ドクがメイド・イン・ジャパンを「安かろう、悪かろう」といい、一九八五年代を生きたマーティは「なに言ってんのドク？　すごいモノはみんな日本製なんだよ」と言い返すシーンを忘れることはできない。これを、時代をかえれば「メイド・イン・ジャーマニー」のことを一八九〇年に生きたドグは「安かろう、悪かろう」と言い、一九二〇年のマーティーは「すごいモノはみんなメイド・イン・ジャーマニーなんだ」と言ったにちがいない。イギリスの真似が多かった世紀末のドイツ工業製品は一九一三年ころにはイギリスを追い越し、それ以来ゆるぎないドイツ製品のブランドを確立した。

現在の日本はといえば、一九八〇年代に築いた信頼はいまや危うい。というのは、生産工場を国外に移し製品管理は厳密だったはずだが、そのほころびが見えはじめた。設計ジャパンだったはずの製品が、生産国名はなく、メーカー名とロゴのシールを貼っただけの製品が日本に逆輸出されている。生産国から他の国に別のマークで輸出する戦略だろうか。外注先の国で働くある日本の大企業の営業マンは、本社から一万個の注文があれば国外の生産工場で二万個つくり、一万個は注文した日本の企業に納品し、あとの一万個はどこかに輸出している。だから工場のある国で富裕層ができて当たり前、と嘆いていた。これが日本国内では見えないメイド・イン・ジャパンの現実だ。

いや、アップルが製造工場を持たずに、すべてを国外の外注工場で生産し、成功したことからもわかるように、現状はすでに工業製品がどこで、だれが、どのような工場で生産し、流通しているかが見えなくなった。グローバリゼーションの風は、製品の信用、ブランドへの信頼を落としつつある。いや、生産国が評価の対象であることをやめ、商品のブランド名だけが信用への通行手形になった。

現在日本人が着ている衣服のほとんどはメイド・イン・チャイナ。世界の市場にある八〇%の衣服が中国製だから、裏返して製造国を確かめるまでもない。それだけではない家電製品や玩具や、人形などもチャイナ製だ。それと全く同じ状況がイギリスとドイツの間にあったのが一九世紀末だった。

一八九六年にイギリス人ウィリアムズ（E. E. Williams）が『New Review』誌に連載した記事にもどろう。「Made in Germany」メイド・イン・ジャーマニーというタイトルの記事は、それは安くて質の悪い、粗悪品を大量に生産していた一九世紀末の、ドイツを敵視する記事だった。とはいえその反対に、一九世紀末まではイギリスの工業製品は世界に誇る製品だった、とひそかにささやく本でもある。

「Made in Germany」は、社会主義社会に移ろうとするイギリス知識人の集まりフェビアン協会に頼まれたウィリアムズが、安かったドイツの製品の実体を確かめ、このままでは英国産業が負けるのではないか、との危惧をイギリス国民に問いかけるものだった。その問いかけの教訓は国家が何によって成り立ってきたかを問うものでもあった。国家の財産とは人材だったのだ。イギリスは産業革命を成し遂げた人材の確保とそれにつづく人材の頭脳流失を止められなかった。

エピソード、大英帝国は健在

とはいえ大英帝国という栄光は健在だ。ミャンマーとエジプトだけを除いて、イギリスの植民地から独立した国はすべて英国連邦に加盟した。総数五四カ国。二〇一九年、EU脱退の直前にBBCは三回にわたって、まだ我々は帝国、と表明するテレビ広告番組を放映した。エリザベス女王の賢明さ、王室の莫大な財産とその賢明な経済活動の一役をになう王子、王室一家のむつまじさ、などなど。

驚きを隠せなかったのは、王となるべきチャールズ三世がテームズ河に浮かぶ船から、建築家ノーマン・フォスターの作品であるロンドンのサーティセントメリーアクス（30 St Mary Axe）、を指さしながら、このぶざまな姿は美しいイングランドの景色をけがす。私がかわりに伝統的なイギリスの風景を創って見せましょう言い、すぐさま王室が所有する土地に一八世紀風の村を作り上げ、観光名所にし、女王が手を振る人形を土産にしてみせる、絵巻物風ドキュメンタリーを放映したことだ。

その演出の最終回の場面にも圧倒された。五四カ国の国主を招いてバッキンガム宮殿での晩餐会。最後の記念撮影で女王と王室一家そしてアメリカ大統領などが最前列に並び、その後に連邦すべての国主が顔をみせた。非常時に駆けつけてくれる友人達を誇示したのだ。宗主国いまだ顕在、かつて世界の六分の一の面積を誇っていた大国がEUに指導され、あるいは指令に従うのは自尊心が傷つき、我慢ができない、という思いがEU離脱の原点だったようだ。「メイド・イン・イングランド」というブランドの再生を願っての離脱だった。それをドキュメンタリーは見事にえがきだした。

エリザベス二世崩御の後を見据えた、イギリス王国渾身の啓発ドキュメンタリーだったとはいえ、イギリスという王国は女王崩御の数年も前から、将来をみすえた国家安泰をうちだす準備ができる国家だ。そこに建築批判を巻き込んだというのは、国家のイメージが建造物によって描かれてきた歴史を熟知しているからだろう。このドキュメンタリーにイギリス人建築家の反応があったのは、言うまでもない。

11章

モダンへの掛け橋——クリスタル・パレスとリバイバル・ゴシック

建築はゴシック様式が全て

バウハウス宣言の表紙に、建築、絵画、彫刻、と三つのジャンルを示す尖塔をもつゴシック聖堂の版画がある。といっても粗削りの木版だから光はみえてもその底にあるのがゴシックの尖塔、とはわかりにくい。

これはバウハウス教員のひとりだったリオネル・ファイニンガーが描いた版画だった。モダンを表明する二〇世紀のデザイン運動、モダンを表明するバウハウスのマニフェストに、中世を代表する、カトリック教徒のゴシック建築を採用したのは不思議ではないか。ゴシック教会はモダンとはほど遠い装飾で飾られた建造物だ。たとえステンドグラス、いやガラスが普及しその新素材に興味があり、教会内部の光や、ガラスの建造物を建築したブルーノ・タウトを評価したとしても、グロピウスがファイニンガーの版画を採用したのは、単なる中世ゴシックへの憧れだけだったのだろうか。

その疑問に答える『一九世紀の中世趣味、ジョルジュ・ヘルプットの著作をめぐって（Le gout de moyen age au xix siècle reflection autour d'un livre sur George Helleputte）』という研究書（ベルギー人、Benoit Hihail、一九九八年）になぜゴシックという様式が、どのようにして一九世紀のヨーロッパに蘇ったのかの詳細が記述されている。その見解をかいつまんで紹介すれば次のようになる。

中世のキリスト教徒にとっての美しさの基準だったゴシックが、後の時代に蘇るのは難しいことではなかった。それは信仰とともにあった民衆の美の基準でもあったからだ。王侯貴族のためのスタイルはゴシックの後にはルネッサンス、バロック、ロココと変化してきたが、それらは庶民とは関係なく、手がとどかない様式になっていた。だがゴシック教会だけは民衆のかたわらに寄り添ってきた。たとえ革命で廃墟になっても。というのは文字が読めない人々のためにキリスト教の教義がわかるように、と聖書を美しい絵やモザイクで壁や窓に描き、だれもが読める物語にして見せることにエネルギーを費やした建築だったからだ。布教のためだが、それゆえ教会は信者にとっての慰みだった。

ゴシック建築復活のもう一つのキッカケは、一九世紀のナショナリズムにも原因がある。

イギリスでのゴシック・リバイバル運動が盛んだったのは、彼らこそ世界にさきがけて産業革命をおこし、世界に君臨する文明を築いたとき、先頭に立ってしまったために、自分の前に理想となるモノ、先人が見えなくなり、振り向いて過去にあったはずの自分に理想を見つけようとしたのだ。マラソンの先頭ランナーの先にはゴールの印、テープがあるのに、先進国、豊かさの極みを走ってもゴールがみえないのだ。先になければ、と後ろを振り向いた。

過去の自分たちの存在を証明するものはなにか、というアイデンティティ探しが始まった。ゴシック建築以外の建築様式は、異教の古代ギリシャ・ローマの建築に影響されている。従ってキリスト教の教会にふさわしくなく、その影響を受けていないゴシック建築こそが真のキリスト教徒の建築ではないか、と過去を見直しはじめた。

一九世紀に新たにゴシック、ネオ・ゴシック（Neo gothique）が蘇ったのは庶民の祈りの力、と自分探し、アイデンティティ探し、ゆえだった。建築にかぎることなく同時に絵画も音楽もゴシックは蘇った。それは、産業革命という激動への、キリスト教徒としての反動だった、ともいえるだろう。蘇ったのは本来のゴシックではなく、ネオ、新しいゴシック、として蘇った。それは過去の様式に比べれば、つつましい形の上にかぶさったベールのように、ノスタルジックな形だけの、表面的なものでしかなかった。それにしても、これこそ偶然とはいえモダンへの掛け橋として蘇った。

ヨーロッパの南のゴシック建築の多くは廃虚になったが、北方ではそれほどではなかった。それゆえ消えなかったゴシックがネオ・ゴシックとして登場したのは、一八世紀の産業革命の後だった。

イギリス発祥のネオ・ゴシック

皮肉にもノスタルジックにゴシックがネオ・ゴシックとして最初によみがえったのは、フランスではなくイギリスだった。いうまでもなくヨーロッパ最初の産業革命国だったからだ。とはいえゴシックはフランス発祥の建築様式のはずだ。このよみがえりは庶民の流行に等しいもので、ゴシックを深く理解をすることなく、スタイルだけを、まるでエジプトやオリエントの建築を模倣するのと同じような親しみをこめて、自分たちの日常に取り込んだ。だから、教会でのカトリックの儀式とは無関係に、その初期には金持ちの城や館や家具などにゴシックの文様がイギリスで刻印された。

かつての貴族達が、産業革命の後で、工業資本家が持ち去った金力と権力を取り戻そうとする慰め的なものでもあった、と表現したほうが正しいだろう。ネオ・ゴシックは産業革命を経てモダンという急激な変化が起こりはじめ、そのショックにたいする柔軟剤の作用をした。ウイリアム・モリスのレッドハウスもその一つにちがいない。外観は控えめなネオ・ゴシックだが、内部の天井にまでとどく壮大な壁画は、ゴシックへの郷愁にみちている。例えばレッドハウスの家具や壁にドイツ文学でも最高の評価があった栄光と血なまぐさい殺戮の物語「ニーベルンゲンの歌」の場面がくりかえし描かれ、等身大の人物像も背景も鮮やかな色彩で綿密に描かれている。モリスが去り、入れ替わった住人が塗った白いペイントをはがし、修復後のレッドハウスの壁画が蘇り、モリスの中世への帰依をまざまざと読み取ることができる。

そのモリスがモダン・デザインの先駆者達の憧れだった、というのはまさに、過去と未来をつなぎ、その後のモダン建築家が外壁も内壁も真っ白にしてしまうまでの、中間的な立場に立とうとしたのだろう。もちろん、ゴシック教会を築いた職人の共同作業、芸術家と職人の間に差がなかった、という思想そのものも重要視されたが。とはいえ、ゴシック時代には建築家という名前の専門職は存在しなかった。全体像がわかる図があって建築が完成するのではなく、石工の頭領がつくった原寸大の一枚の石を切り取るための板があり、切り取った石を積みながら全体像に迫ってゆく方式だった。だから建築には数世紀、例えばパリのノートルダム寺院はほぼ二〇〇年もの永い年月がかかった。設計図も建築家もいない建設はルネサンスまで続いている。

イギリスとちがいフランスでは中世の歴史的な研究の積み重ねがあり、中世という過去と現在をつなぐ橋としてネオ・ゴシックが解釈された。そして廃虚になっていたゴシック建築をモラル、経済、技術という三つの側面で研究する過程でゴシック建築に鉄が利用されたかどうかを探り、一九世紀になってヴィオレ・ル・デュックの分析的な調査と修復作業のおかげでルネッサンスの初期から鉄が使われていた事が証明された。

この発見は、クリスタルパレスのような「ガラスと鉄」を組み合わせた巨大な建築は、「石と鉄」の組み合わせのゴシックの再現と解釈されたほどの驚異だった。鉄と石材という組み合わせの技術が、鉄とガラスという最新の素材に置き換わっただけではないか、と解釈されたほどだった。つまり、フランスではゴシックを形ではなく技術の先輩として称賛した。

モラルと建築

一九世紀の建築は社会のモラルにかかわり、建築の革新は社会と宗教心の変革をうながす、と考える時代でもあった。中世は職人仕事の黄金期だったが、産業革命のせいで職人の手仕事はすっかりだめになった、とマルクス、モリス、ラスキン達は考えた。中世への憧憬が一九世紀にパリ・ノートルダム寺院の再建修理、ドイツ・ケルン大聖堂完成(一八八〇年)、そしてベルギーでもゴシックが再現し、イギリスでは金持ち達のネオ・ゴシック運動がおこり、ヨーロッパで建築職人を育てようとしたのはこの時代だった。

ここで、イギリスのモダン建築の先駆者ともいえるネオ・ゴシックの王者、ピュージンを紹介しなければならない。オーガスタス・ピュージン(Augustus Pugin、一八一二~一八五二、フランス系イギリス人)はイギリスで最も数多くのネオ・ゴシックの建築を建て、ネオ・ゴシック様式のリーダーでもあり、誰もが知っているのはロンドンのビッグベン塔の建築家だったことだ。工業化によって破壊されたキリスト教の価値をゴシック様式で再現し、これこそ純粋な社会の産物であると主張した。現代の職人も中世の職人のような作業を再現すべき、と説いた。ジョン・ラスキンも、「建築の七つの灯台」(一八四九)と「ヴェネツィアの石」(一八五三)でピュージン(Pugin)の理想に賛同している。

フランスの建築家ヴィオレ・ル・デュック(一八一四~一八七九)は産業革命でできた鉄の橋、駅などが圧倒的な速度で風景を変えることに気づき、そこには技術者だけが設計と工事にかかわり、それまで活躍してきた石造、木造などの職人や建築家の活躍する場がなくなったのを嘆いた。そこでゴシック様式と最新の技術(鉄とガラス)を組み合わせ、独創的なネオ・ゴシック(Neo Gothique)を提案することになる。つまり、ヴィオレ・ル・デュックもまたゴシックの建築を分析することで、その建築の合理性を解き明かし、新しい素材を組み合わせたモダンへの掛け橋を提案している。

ガラスでできたクリスタルパレスは展覧会が終了してから一八五四年にロンドンの南に移転し、一九三六年に焼失したが、オックスフォード大学自然歴史博物館の中庭にも一八六〇年にガラスの館ができ、この二つは鉄でゴシック様式を表現した、と評判だった。つまり一九世紀初頭のフランス人、イギリス人、ドイツ人は、すべてゴシック様式をノスタルジックに慕いそこにモダンへの出発点を見つけようとした。

モダンは：印刷図面から

ガラスと鉄でできた最初の記念碑的建築クリスタル・パレスは、支柱や梁部に強度の高い細長い鉄材を使い、天井や側面全体に透明な板ガラスを張り渡して、従来の石造・木造建築とは比較にならない空間（長さ約五六三m、幅約一二四m）を作り、中央通路の高さ約二〇m、中央大屋根の高さ約三三mを生んだ。この大型の建物自体は、規格化された部品で構成されるプレハブ工法を編み出し、わずか約六カ月で、しかも安い費用で、巨大な透明建造物が完成した。ガラス建築の巨大展示館、このクリスタル・パレスの成功があったからこそ、後の建築材料の主流は鉄とガラスへと大きく舵を切る。例えば、トーマス・ハリスは『建築とは何か？』（一八七二年）でクリスタル・パレスについて、「それ以前のどの建築にも劣らない、注目すべき一つの建築の新様式が創始されたと考えて良い」とし、

「鉄とガラスは、未来の建築の実施に目覚ましく際立った特徴を与えることに成功した」と一九世紀末に語っている。

このネオ・ゴシックの建築で、もう一つ際立った功績は、作業工程を組むことができるようになったことだった。装飾部分、建造構造部、など組立ての構造分析ができれば大建造物でも、建築工程、建築予算、建造日程などが事前に計算できる。それを可能にしたのは、印刷という技術が進化したからだ。図面と工程表を複数印刷し、技術者はそれぞれが現場で図面を見ながら、議論ができるようになったのだ。建築だけではない、印刷というメディアの活躍があったからこそあらゆる製品の量産化ができるようになったのは言うまでもない。量産とは、その量を生産する作業の質と、作業員の数にふさわしい図面が必要になる。図面の量産ができて、初めて製品の量産ができるようになった。

個人の手作業というクラフトと違い、図面による作業の工程管理ができたのは、バウハウスやアーツ・アンド・クラフト運動を待つまでもなく、すでにネオ・ゴシック建築ではじまっていた。

アーティスト不毛のイギリス

ヨーロッパの芸術を牽引したのは、ルネサンスを牽引したイタリアだった。その後にフランス、スペイン、オランダでも芸術文化が栄えたが、イギリスにはほとんど記録に残るアーティストはいない。

その理由は、芸術は権力者の手中にあり、宗教が芸術の最大のパトロンだったからだった。イスラム諸国も、スペイン（イスラム化）も、イタリアもキリスト教総本山のローマを中心にして、フランスでは王権が教会をしのぐ権力者となり、芸術は花咲いた。

ところがイギリスは一五三四年、イギリス王ヘンリー八世は離婚を許さないカトリックから離脱し、プロテスタントの影響が多い英国国教会を造り、聖像を破壊し、宗教的な美術品を破壊しただけでなく、教会のための絵画・彫刻・刺繍・金銀細工などの制作さえ禁じた。そのためにイギリスの絵画は世俗的になり一八世紀のはじめまで絵画といえば肖像画が中心だったが、作者はほとんど外国人だった。ドイツのホルベイン、ドイツ・オランダのルーベンス、オランダのヴァン・ダイクなどのように。建築ではこの時代にゴシック様式を少し変えた「テューダー様式」を造った。

青年を大旅行で育てたイギリス——自分探し：ゴシック

スペインとポルトガルを破って一八世紀から一九世紀に植民地を背景にヨーロッパ大陸の覇者となったイギリスの貴族や上流階級の一〇代の長男は、召使いや教師と一緒に見聞を広めるために「大旅行」（Grand Tour）と呼ぶイタリアやフランスなどヨーロッパ大陸を旅した。数週間から数カ月にも及ぶ長い旅だった。まず近くのフランスで礼儀作法とファッションを学び、イギリス風田舎臭さを洗いおとし、ギリシャやイタリアの遺跡や古代文明を現場で見て、聖書をテーマにした宗教、ギリシャ・ローマ神話、歴史、静物などの絵画を買いあさってイギリスに持ち帰った。それらの絵画の背景にある大自然、島国のイギリスでは文学作品でしか知らなかった初めて目にする風景に憧れ、彼らの庭、イギリスにはない風景をみせる風景式庭園、をつくりだした。その風景の点景としてゴシック風の教会や神殿などの模造建築を配置した。

島国だったからこそイギリス人は古代の歴史とともにある異国の文化とその壮大な風景にあこがれ、自国にもその歴史を求め、ルネッサンスと宗教改革で否定され失われた過去である中世、ゴシック文化こそ自分たちが産み落とした文化ではなかったか、と自己のアイデンティティとしてのゴシック、ブームがわきあがった。

ヨーロッパの一九世紀は考古学的な発見の時代でもある。民族の歴史をさかのぼる研究が庶民の興味を引き、日常の中で過去を知り、過去を蘇らせながら、これこそキリスト教徒としての未来につながる、と発見したものの一つがゴシックだったのではないか。それが、モダンへの掛け橋になった。

グロピウスがファイニンガーのゴシック教会の版画をバウハウスのモダンへの掛け橋としたのも、共同作業という過去の労働のありかたに理想を見いだしたからだろう。

もう一つのモダンへの掛け橋

絵画の世界は抽象へと舵を切った。そうせざるを得なかった。なぜなら、一九世紀末の画家に肖像画を依頼できるほど豊かではなかったブルジョワジーが、肖像写真をとるようになり、失業した画家が多かったのだ。だが写真では表現できない絵画手法を考案しようと、ナダールの写真スタジオに集まった画家には多くの印象派がいた。絵画と写真の交錯する表現から、印象派、キュビズムそしてデ・ステイルなどが生まれ、抽象絵画に成長する。

写真という強力な写実以上の「実」をきりとる技術が普及し、芸術家達は具象（写実）から抽象に表現の場をかえ、建築家もやはり抽象的な直線が直角に交あう空間を選んだ。直角に交わる線で構成した外観の建物がモダンの特徴となった。

12章

芸術不在、アート砂漠のイギリス

芸術砂漠イギリス――ジェントリーの価値観

イギリスの産業革命を推進した原動力、世界をメイド・イン・イングランドで満たした主人公。それはジェントリー（ジェントルマン）と言われる階級（定まった階級ではないが、貴族と農民との間にある土地資本家）だった。農民に農地を貸し、工業生産者に工場を建てる土地を貸して利益をあげ、その資本を他人に貸してその金利だけで暮らした新しい金持ち階級だった。彼らが一七世紀から二〇世紀初頭にかけてイギリスを経済的に支配し、彼らこそが産業革命の資本家だった。彼らの行動には厳しい規範があった。

一．肉体労働をしない。
二．礼儀正しい。

三．教養がある。
四．紅茶に砂糖を入れて飲む。

しかも、ジェントリーの役割には社会に奉仕する義務があった。社会奉仕の精神（貧しい者を助けるのではない）こそが産業革命をどのヨーロッパ諸国より早く推進した原点だった。とはいえ、ジェントリーの家に生まれても二男、三男は家を出て独立しなければならない。医者、弁護士、軍人そして植民地の農場経営者などが彼らの選ぶべき社会的身分だった。だからこそジェントリーの家系の二男、三男のためにも広大な土地のある植民地、つまり国外に就職先をイギリスは国家として必要とした。

植民地との貿易でイギリス国内に、ジェントリーの利益、つまり資本は蓄積され、その資本が産業振興に向かった。どれだけの利益があがるかどうか分からなくても、彼らは工場に、道路、鉄道、港、蒸気船、運河などに、社会貢献という名目で投資をした。イギリスのインフラは国家ではなく、ジェントリーの私的な民間資金で整備された、というのは驚くべきことだ。イギリスが「世界の工場」になったのは、資本がさらに資本を生み増やすための、資材、製品、商品、労働者、などを遠距離であっても迅速に運び、そこで得た利益を銀行に貯金し、果てには「世界の銀行」になったからだ。金が金を生むことに集中したロンドンのシティーに代表されるジェントリーの金融戦略は、自己資金だけではない、オランダやベルギーなど国外の金持ちの信用を得て、ロンドンに世界中から投資を集中させることだった。

エネルギー革命が変えたアート、イギリスとフランス――量と実用だけ

現在のイギリスには大樹が茂る森林はほとんどない。その原因は一六世紀頃から始まった鉄産業のために木材（木炭）が必要となり、森林を徹底的に伐採したのが原因だった（大型船舶の製造のためにも大樹は切り倒された）。木材が枯渇するという自然破壊のあげく、幸運にも木材のかわりに燃料として使うことができる石炭の埋蔵量は豊かだった。そのイギリスの当時の産業、明礬《みょうばん》、ビール、毛織物、タバコ、パイプ、染料、陶器、砂糖、石鹸、糊、蝋燭、パン、そして鉄、真鍮、銅、煉瓦、石灰、タイル、ガラスのような生活必需品や建材や火薬などの製造業は、木材よりも効率のよい石炭を使って生産性を増していった。中世から一七世紀までイギリスの日用品や建材の生産量はフランスを遥かに上回っていた。安い生産コストでいかに大量に作るかの技術革新に懸命だった。この産業を担っていたイギリス新興の商人を含むジェントリー層は量を追求する工業だけを見つめていた。

この時代は、イギリスのキリスト教会がカトリックからプロテスタントに変わり、権力が国王から議会に移るころだった。その変革と同時にカトリック教会や王侯貴族が望む作品をつくってきた職人の仕事や、芸術作品の需要がなくなった。新しく生まれた金持ちの商人階級、ジェントリーのような権力階級やプロテスタント教会は、それまでのような趣味趣向にあふれた装飾品に見向きもせず、古典的な職人の仕事はまたたくまに減っていった。

その結果、イギリスには一六、一七世紀まで後世に名前を残す画家は存在の理由がなくなり、イギ

リス人のアーティストのリストはほぼ空欄なのだ。宗教画も肖像画も描かなくてもよいイギリスはアート砂漠だった。いやイギリスはお金を生まない美術に目を向ける暇も必要もなかった。

絵画のかわりに、イギリスでもてはやされたのが、色や形ではなく、文学と音楽だった。エリザベス一世時代には詩、文学、演劇など文字を通して感情を表現した。その文化の重要な消費者が、ジェントリーだった。文学ではシェクスピア（一五六四年生まれ）がこの時代を代表する。数少ない需要に応えて肖像画を描いた画家もいたが、それらの祖先はフランドルやオランダ、ドイツやイタリア人だけだった。例えばハンス・ホルバインやバン・ダイクのように。

遅れに気づいたイギリスは一七六八年、ロイヤル・アカデミー（王立美術院）を設立した。ジョシュア・レノルズが初代院長になったが、彼は保守的で、ラファエロのような古典絵画、「歴史画」を重要視した。イギリス人画家による、イギリス独自の様式をもった絵画が生まれるのはやっと一八世紀、ヨーロッパ大陸ではロココ美術が全盛の時だった。その時代にイギリス生まれのウィリアム・ホガースが登場し、一八世紀のイギリスの国民的画家と謳われたが、画風は新しくなかった。

産業革命はイギリス人の理想を量と実用に向け、質と美を忘れさせたようだ。逆に、産業革命に遅れをとったフランスだったからこそ芸術、工芸品の制作に力をつくし、王立の美術工房などの運営を続け、職人という手工芸を芸術と同等にした。教会の特別な壁にフレスコ画を描く画家は、教会の窓枠を作る職人と同等の工芸家だった。だが絵画が教会の壁から離れて、貴族達が自分の肖像画を描かせ、それを邸宅の壁に掛けはじめ、絵画は芸術作品となり、工芸の職域ではなくなった。産業革命に遅れをとったフランスが量産という技術から遠い存在だったからこそ、森林に恵まれたフランスが石炭という燃料を必要とせず、鉄工業でも薪で充分だったからこそ、安定したアートの需要は絶えなかった。エネルギー源が木材か石炭かという差が、アートとアーティスト、そしてアルティザン（工芸職人）の存在理由を変化させ、後世に大きな差をうむことになる。二つの国の間に狭い海峡があっただけで。だがドイツはフランスと同じ道を歩かなかった。

イギリスに吹いた新しい風、「渦巻き派」

ビクトリア時代（一九世紀後半）までは、イギリスは産業繁栄の心地よさのなかで絵画はアカデミックな物語絵が好まれた。これに反抗してやっと一八四六年ごろから若い画家ダンテ・ガブリエル・ロセッティ、ジョン・エバレット・ミレイ、ホルマン・ハントらはラファエロ前派の運動をはじめたが活動は数年しか続かなかった。だがこの時ロセッティはウィリアム・モリスを知り、美術を生活にという運動を起こす。それは大量生産に反対し中世以来の手作りを取り戻そう、という運動だった。印象主義の影響を受けた若者も同時にアカデミーに反発し、一八八六年「新イギリス美術クラブ」が生まれた。とはいえヨーロッパ二〇世紀初頭の前衛芸術の軌跡をたどるにつれ不思議なことに気がつく。アーティスト砂漠のイギリスではあったが、二〇世紀になってもなお新しい芸術にめざめることがなかったのか、と。隣の国の華やかな運動にどうして無関心だったのか。この時代にイギリス（ロンドン）に歴史に残る前衛アートの展示会があったという記録さえほとんどみつからない。一九世紀末までは、ラスキン、モリスを頂点に新しいデザインを模索し、ヨーロッパ大陸のアーティストに影響をあたえていたにもかかわらず。ごくわずかな関連する人物の一人に、抽象芸術運動の中心的な人物、ロジャー・フライ（Roger Fry、一八六六〜一九三四、画家・芸術批評家）がいた。ロジャー・フライや、ブルーム・ベリー・グループ、バージニア・ウルフなどの知識人達は一九一〇年に後期印象派展（マネとポスト印象派展、マネ、セザンヌ、ゴーギャン、ゴッホ等）をロンドンで企画し、ロンドンの芸術界を刺激し、一九一二年に「第二回ポスト印象派」展を開催している。そして一九一三年、ダンカン・グラント（Duncan Grant、一八八五〜一九七八）とヴァネッサ・ベル（Vanessa Bell、一八七九〜一九六一）は、オメガ・ワークショップ（オメガ制作工房 Omega Workshop）を結成する。モリスのアーツ・アンド・クラフツ運動に近いが抽象的なモダン・デザインを試みイギリスにとって新たな運動体となった。

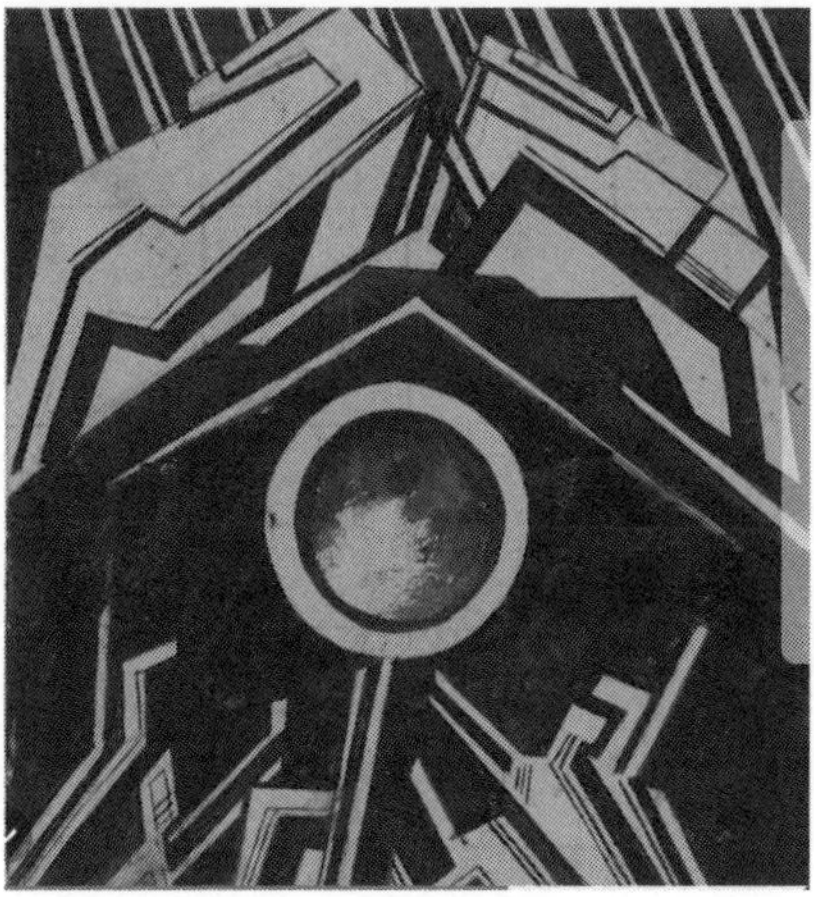

イギリス　ヴォーチズム　表紙

モダンへのチャンスは一九一四年だった。機械文明を賛美するイタリア未来派がヨーロッパ各地で展覧会を開き、ロンドンには運動の中心人物だったフィリッポ・トンマーゾ・マリネッティが訪れ、若い芸術家たちは機械の美やダイナミズムを讃美する未来派に影響され、イギリスの前衛「渦巻派」が発足した。その運動の機関誌『ブラスト（Blast）』を刊行して「ヴォーティシスト宣言」をした。『ブラスト』はヴィクトリア朝の伝統を過去の遺物として弾劾したが、第一次世界大戦が起こり、「渦巻派」は活動を停止し、戦後一九三三年、構成主義に影響されたユニット・ワン（Unit One）がヘンリー・ムーア、ベン・ニコルソン、バーバラ・ヘップワースなどで結成されることになった（彼らがロンドンでモンドリアンの面倒を見る）。

二〇世紀前半のイギリスで「運動」と呼べるたった二号だけの小さな雑誌『ブラスト』の存在はデザインにとって重要だ。というのは英国のアートと文学の世界、大陸の前衛アートとモダニズム文学、その仲立ちをし産業社会イギリスのアイデンティティを定義しようと、文化的な戦いをしたからだった。彼らの戦略は「ユーモアを爆弾にして市街戦に打って出る」ことだった。『ブラスト』で際立っているのは、書体のグロテスクというサンセリフ（Sans-Serif）の利用だ。一九世紀末に開発されたというが、これこそ古典的な優雅なセリフ（Serif）のある文字の世界を飛び出し、過去を捨てて印刷文化のモダンをめざした。英国の印刷会社が自社の宣伝のために使っていたこの書体をみつけ、『ブラスト』の紙面で使い、ロンドンに来たマリネッティがそのグロテスクに感動して「未来派宣言」の表紙を飾ったのは一九〇九年だった。グロテスクは、文字が読めなかった人々でも視覚で訴えることができたからだ。バウハウスの出版も、セリフのないゴシック体が多様されているのは、わかりやすく、なおモダンの表明だったたからだ。

ドイツでもロシアでも、戦争中はモダンを退廃、敵性アートとして糾弾したが、イギリスでも同様に非難された。とはいうものの「渦巻派」失墜とほぼ同時に、戦争は皮肉にも前衛絵画の技法を必要とした。イタリアの未来派ほど熱狂的な戦争賛美はしなかったが、近代の戦争を美しく表現できる唯一の手法は前衛絵画しかない、とイギリス・アバンギャルドは「実体験」戦争絵画として歓迎された。もちろん、ヨーロッパ大陸の国々でも同じように、ソビエトのアバンギャルドなアート技法は、プロパガンダ・アートとして世界中にもてはやされた。一九三〇年代から第二次世界大戦中の広報誌に見る、日本のロシア構成主義プロパガンダの色濃い影響もまたその証だ。いや、プロパガンダで最も成功した前衛画家の集まりはイタリアの未来派だった。表現主義の影響をうけながら、積極的に近代文明、機械が生みだす、高速な動きをポスターに取り入れ、都市化で際立ち始めた速度・運動・雑音(ノイズ)がテーマとなり、スポーツ・自動車・飛行機・都市・鉄道・機械などが描かれ、最後には戦争賛美に至った。近代の新しい美とはそれがどんな目的であろうと「速度の美」と、提言したのがイタリア一九二〇年代の「未来派」だった。

とはいえ、ヨーロッパ大陸に比べてイギリスという島国の先端アートに対する姿勢は鈍感だった。ラスキン、モリスの影響は二〇世紀初頭の社会主義革命を目指したユートピックな労働者向け田園都市建設にむかったが、その運動がモダンな工業製品、工業デザイン運動に向かうまでには時間を要した。

一九三〇年代、ナチスの登場とともに、グロピウスはドイツを離れ一時ロンドンに滞在し、再就職のチャンスを狙っていたが結局条件の良いアメリカに向かい、ロンドンにバウハウスはできなかった。イギリスではグロピウスを必要な教育者としてデザイン学校に招聘しなかったのだ。たった一つベルリンにあったライマン・シューレだけが、バウハウスと同じようにナチズムによって閉校となり、ロンドンに避難してロンドン学校（一九三〇年）をひらき、アガサ・クリスティーを写真のクラスにむかえたのもつかのま、第二次世界大戦はその門を閉じさせた。

13章 イギリスのモダン

モリスと「役に立つ」

一九世紀末のウイリアム・モリスは、どこかおとぎ話の工芸運動家だ。クラフト、手作業に戻ろう、量産品で消えた手づくりの喜びを取り戻そうとする運動家だった。とはいえモリスはもちろん当時のアーティーストは詩人であり、小説家であり、工芸家であり、画家であり、なおマルクス主義者であり、社会改革を目指した。つまり時代の理想を追求する多彩な活動の一つがデザイン運動だった。モリスはさらに職人でありケルムスコット・プレスという印刷所の親方でもあり、ギリシャ神話の翻訳家でもあった。

彼の主張に「役に立つ（useful）」という言葉が頻繁に出てくる。言葉だけでも、文章だけでもない、実際に社会に役に立つ行動が彼の人生だった。

一八五一年のロンドン万博は、ヘンリー・コールが企画、ヴィクトリア女王の夫アルバート公を総裁にして組織され、ハイドパークに鉄骨とガラスの仮設のクリスタルパレス（水晶宮）を建てて始まった。出品は三四カ国、出展されたのは「材料」「機械」「工業製品」「彫刻・造形美術」の四部門のはずだったが、時計、織物、馬車など雑多だった。約五カ月で入場者はロンドン人口の三倍、ほぼイギリス人口の三分の一にあたる六〇〇万人を超えた。

企画者のヘンリー・コールは、翌一八五二年に出展物を産業博物館をつくり展示することにし、ヴィクトリア&アルバート美術館が誕生する。イギリスの産業デザインのために芸術作品を公開して国民教育を願った彼は、芸術は産業の発展に役立つとし、国家の政策としてデザイン振興を計った。

モリスが好きなインドの文様、オリエンタルから

モリスの好みは建築もインテリアも家具も絨毯も中世風、壁掛けはルネッサンスの細密な文様で、イスラムのタイルや一七世紀の絨毯も好み、家の床にもイスラム文様のカーペットを敷いた。

イスラムの文様を縁取るアーチに興味をいだき蓮の花や異国の植物に引かれ、その魅力を文様が切れ目なく連続する唐草文様（花唐草）に魅入られ、自身で庭の草花をデッサンした。様々な手法でパターンの繰り返しをトレースし、一定の範囲で文様を上下左右に移動し、あるいは回転させ、なお庭でみる自然のように文様に奥行き、立体化する楽しみを味わったデッサンが残っている。色はインドのテキスタイルを象徴する赤とインジゴの青を選んだ。

ウィリアム・モリスのレッドハウス。ゴシック・リバイバル

モリスと藍

イギリスの絹商人、トーマス・ワードル（Thomas Wardle、一八三一〜一九〇九）は絹のプリントと染色で名誉と富を得て、イギリス王女から騎士の称号をうけた人物だった。彼はモリスの親友であり、モリスは彼の工房を訪ね、共同でインドの深い藍色を染色プリントできないかと研究をはじめた。天然の素材で染色することがいかに重要かを業界にわからせもした。一八七六年まで彼はモリスがデザインした初期の文様をプリントし、ワードルが去ってからモリスは自身の工房で藍染めを続けた。

ワードルとモリスとの間に六〇通にのぼる手紙のやりとりがある。そこにはインドのテキスタイルへの賞賛が語られ、インドのテキスタイルにモリスがいかに影響を受けていたかが書かれている。モリスはインド更紗文様でよく使うザクロ、蛇小屋更紗、マリーゴールド、スイカズラなどを褒め、色彩もまたインド更紗風を好んだ。これらは、一八七八年のパリ万博で展示されたが、評判が良かったのはインドの藍で染めたプリントだった。

モリスは妻と刺繍部門をつくり、モリスがデザインした室内用の布の刺繍を商品にした。これは、女性向けのファッション用品で、糸とプリント型のキットで売ったが、第一次世界大戦で閉店を余儀なくされた。

だがモリスが刺繍を商品に加えたのは、彼の店の裕福な顧客の階級は、どれだけ美しいプリントの壁紙があっても壁に貼らなかったからだ。というのは、サロンのような招待客の目に止まるインテリアで、壁紙をつかうのは恥だった。壁紙は純粋なアートではなく、役に立つアート（useful art）あるいは小芸術（lesser art）といった下位にあるアートだったからだ。汚れた壁面を隠すために仕方なく貼る壁紙は、裕福な階級にとって好ましい装飾ではなかった。だから壁紙ではなく、刺繍をした布をパネルに仕立てた壁紙代わりの商品を開発した。もう一つ興味深いのはモリスがＤＩＹを提案したことだ。自分で刺繍しましょう、と図案と布と刺繍糸をキットにして、クッション、ベットカバー、暖炉の前におくパネル、ドアの前に下げる布、などを提案している。一八八五年にモリスはこの事業から引退し、二三歳だった娘に後を託した。

モリスは絹という高級な商品をインド植民地から輸入し、インドの金持ちとイギリスの金持ちに提供し好評だったが、イギリスの消費者にインド織物の素晴らしさを教えたかった。ワードルは隣のフランス産の絹が高価だったのを横目でみながらインドの絹を世界中に輸出しようと競った。というのは、同時に中国と日本の絹もまたヨーロッパ市場で手ごわい競争相手になっていたからだった。モリスとの連帯はその競争に勝つためだった（江戸末期に絹は日本の総輸出量の七割、多くがロンドンで陸揚げされた）。

モリスと壁紙

障子や襖、白壁、といった白い面に囲まれた部屋に馴染んできた日本人にとって理解できないのが、ヨーロッパの壁文化だ。壁が一色のまま、白いままでは不安になるのか壁に添って家具を置き、その背景を隙間なく絵画、彫刻、花、鏡などで埋め尽くす。だからだろうが壁紙でさえ花、鳥、池、植物、などが好まれた。インテリアの装飾とは「無」、何もないことへの不安解消の妙薬だったのかもしれない。

壁紙を貼るのは豊かではない階級の家屋だけだった。ヨーロッパの一六世紀にさかのぼるといわれる壁紙の歴史をたどれば、はじめのころは商店の食器棚の内側や、住居の狭い部屋の壁を飾っただけで、貴族や金持ちの広間では使わなかった。壁が高価な大理石だったらその素材の美と希少性をめだたせるが、貧しい石やレンガでは、表面に漆喰を塗って白くし、彫刻や絵画を壁に、あるいは壁側につけた棚に絵画を飾るのが、家屋の主人が属す階級を来客に示す内装だった。時には大理石にみせるために、漆喰の上から大理石文様を描く手法が流行したことさえあった。

ところが二〇世紀の初めには貧富にかかわりなく壁紙を使いはじめた。レセプションルームからトイレ、風呂場まで、どこにでも。とはいえ壁紙が豊かではない階級の装飾品というのは一〇〇年後の今でもかわることはない。

それがよく分かる現場を見る機会がある。パリの一九世紀初めの建物取り壊し作業現場の壁だ。レンガと漆喰の上に五枚はあるだろう壁紙が層をつくって文様のグラデーションをみせる。おそらく五回ほどの改修があったその度に、違う壁紙を上に上にと貼っていった軌跡だ。

一七世紀に中国からヨーロッパに輸入された壁紙だけが、大型のロールペーパーに手描きで風景あるいは風俗が描かれていたから、絵画と同等の稀少品として、金持ちの評価が高かった。といっても縦長の風景あるいは風俗画に見えたこの壁紙は、中国人の住む邸宅や建築のインテリアでは使わなかった。中国にも壁紙文化はなかったのだ。輸入品はヨーロッパの業者の注文で輸出専用に製造されたものだった。ヨーロッパの紙の生産技術は中国に比べればまだ未熟だったから、せいぜい四〇から五〇センチ四方程度の紙を木綿や麻の布を粉砕した繊維で造り、その四角な紙を並べて壁や天井にまで貼るのが普通だった。植物繊維から紙を漉く大型のロールペーパーはまだ普及していなかった。紙は漆器、陶磁器、絹と一緒に当時の異国の高級な輸入品として中国からヨーロッパに渡ってきた。

輸入壁紙は二種類あった、一つは風景、花、鳥などの自然を描いたもの、もう一方は人物がいる風俗描写、この二種類を組み合わせて、インテリアの全てに張り回し、壮大な景色を作り上げた。もちろん社交の場でもある金持ちの館のサロンに。

その横で、印刷会社では中国や、オリエントの布地からヒントを得た文様で、イギリス・デザインの壁紙生産にはげんでいた。

一八四〇年までイギリスでは木版プリントだったが、木綿の薄い布地（キャラコ）にプリントするメーカーが、布のかわりにロールペーパーに自動印刷する機械を開発し、瞬く間に壁紙の価格を下げ、壁紙は一八六〇年代には貧しい階級にも買える量産のインテリア装飾品となった。

まさにその時ウイリアム・モリスは壁紙のデザインをはじめ、不滅の評価を得た。壁紙は労働者階級だけでなく、中産階級にとってもインテリアに美とアートを取りこむ勇気を与えた。モリスが壁紙のデザインを始めたのは一八六二年だった。中断した期間があったものの、壁紙のデザイン活動は彼が亡くなる一八九六年まで続いている。

手作業を重んじ機械による大量生産品の質を嘆いたモリスがなぜ壁紙をデザインしようと思ったのか。

聖職者などの高い社会的地位の人材を養成するオクスフォード大学を卒業したモリスが建築ではなく工芸という職業を選んだ当初、母親は嘆き悲しんだ、という。手仕事は社会的地位の低い職業だったからだ。だから壁紙の制作という工芸は彼の社会的地位にふさわしくなかった。機械による大量生産品の品質の悪さを嘆きながら、モリスが手作業の職人仕事に戻ろうとしたにもかかわらず、木版プリントという、ある意味では量産の手段を選んだところに、彼のジレンマがある。一点ものではなく、量産品である壁紙が手で彫刻された版木で、手でプリントされる、という手法だったから、まだ手工芸の派にはいる、とモリスは判断したのだろう。

とはいえ、当時壁紙の印刷につかうインクに使われた砒素が原因で、死者さえでて大問題になり、プリントメーカーが「眠れる森の美女（Sleeping Beauty）」という名前の壁紙を開発し、これは毒性がなく、洗うことができる、と宣伝したのは、一八八〇年代だった。

マイフェア・レディーの壁紙

「マイフェア・レディー」はバーナード・ショー原作の「ピグマリオン」をミュージカル映画にしたものだった。一九一二年原作のストーリーは当時のイギリスの階級制度を痛烈に風刺する物語だ。英語という階級差がはっきりする言語をテーマに物語は展開するが、映画は建築やインテリアの細部の時代考証も完ぺきだった。

なかでも最後の場面、ヒギンズの自宅、本や実験道具が隙間なく詰め込まれた室内の壁にはウイリアム・モリスがデザインしたものにちかい紙が貼ってある。つまり、二〇世紀の初頭の室内には、たとえ貧しくなくても、ヒギンズというインテリの家屋もモリスの壁紙で飾った。とはいえ、その部屋は招待客を招く居間ではなかった。

モリスの次女、メイ

メイもデザインに興味をもち、モリスアンドカンパニーの刺繍も手がけたが、父親の好みと同じ忍《すい》冬《かずら》の壁紙を一八八三年に商品化した。だが第一次世界大戦でモリス商会は閉店となる。モリスは商店をロンドンにつくりなおし、シルクを扱いながら、イギリスの商品だけでなく、アジア、ペルシャ、インドからの輸入商品も置く商店に育てた。一八八五年にモリスは、貿易商ワードル（WARDLE）の助けをかりて、インドから職人四五名を呼び寄せ、うち七人はシルクの織り職人だったが、インド風の村をつくり、糸つむぎ、織り、木綿とシルクの刺繍、そしてプリントの実演をその村の工房で見せ、色彩とデザイン学校も作るほどの熱のいれかただった。もちろんワードルはこの商店への納入業者だった。扱っていたシルクにはインドのプリントや、その忠実なコピーも数多くあった。彼らの商品は瞬く間に評判となり、パリのファッション誌でさえ、素晴らしいとほめたたえた。布は手織りでそこに木版印刷した。モリスはワードルがいなかったら、なにもできない、とまで彼の存在を頼りにした。ワードルはモリスと共に学び共に成長した仲間だった。

トーマス・ワードルと協力したのは、モリスが自分で連続文様を天然藍でプリントしたかったたからでもある。ワードルがリーク・スタッドフォード・シャー（leek,Staffordshire）に工房を持っていたのはモリスにとっての魅力だった。

モリスは晩年にオランダのベルベット（Flemish velvets）の一五～一六世紀の歴史的な織物の再現

に取り組んだ。中世趣味のウールのカーペットを機械で織り、豊かな階級に売り、そのモチーフを研究しようと足しげくサウス・ケンジントンの美術館に通いノートをとり、コピーしデッサンに励んだ。

娘のメイは父親の後を追い、彼の作品管理そして父親の業績についての講演にも精力的に活動し、彼女の刺繍がアートとして認識され、良いデザインとはなにかを講演するまでになった。メイは名前こそ残さなかったが、父親のように社会主義者であり、女性権利獲得の活動家でもあった。

モリス商会での利益は薄かった。そのためレッドハウスを売ってロンドンにもどるが、幸運なことに大きな仕事が飛び込んできた。それは、モリスのユートピア物語、『ユートピア便り』(News from Nowhere, 1890) で、イギリスの工業を攻撃する著作を出版した。ここでモリスは喜びのない仕事を攻撃した。出版の利益でマートンアベイの風車小屋を買い、工場を拡大した。娘のメイは、工芸を学校で学んだ最初の世代だった。それはサウス・ケンジントンにあったが、後にロイヤル・カレージ・オブ・アートに成長する。メイはこの学校で刺繍と織物を学び、選んだテーマはイギリスの中世教会などで絵画のかわりに壁などを飾った刺繍の緻密な宗教のモチーフだった。

文様の宝庫

イギリスのデザイン、ことにテキスタイルのデザインはインドの古典的なデザインとの技術提携なしに語れない。ワードルがイギリスの植民地だったインドから綿、絹を輸入し、モリスやアーツ・アンド・クラフツの仲間のデザインのためにプリント加工し、商品化し、なお大成功をおさめた時代は、数多くのテキスタイル工場がマンチェスターを中心に稼働していた。インドのテキスタイル・デザインはイギリス女王の特別許可もあり、インドとイギリスの利益が合致し満足するやりかたで契約した。というのは、イギリス国民の好みにあったインド風文様をというイギリスの提案を、インドはいつでも受け入れたのだ。とはいえこの方法は、イギリスとの間だけの商法ではなかった。相手はどこの国でもどんな民族でもかまわない。例えば日本にやってくるオランダ商人が日本で流行している縞文様に合わせて、縞の文様や色をインドで日本好みに変更し、長崎に持ち込んで評判になった、というほど柔軟性がある専門職がいたのだ。いや、インドほど複雑な文様を楽々とアレンジができる多数の職人がいる国は他にないだろう。モリスが好んだインディゴのプリント（チンツ）もまた、彼の好みに、イギリス人の好みにアレンジしたインドのテキスタイル（更紗）だっただろうし、それが一九世紀のヨーロッパの金持ちの生活の好みにあった。だが金持ちは、これもまた植民時代独特の異国の、エキゾチックな、だから特別な階級に属しているという特権意識を享受していたにちがいない。

モリスはモダン・デザインを指導した工芸家ではない。モリスの影響でデザイン運動が生まれたのではなく、それは労働にたいする概念の変化、つまり労働が喜びになっているか、その結果が生活を潤したかどうかに焦点があるのであって、丸三角四角を基本とする抽象芸術の応用デザインとは大きく異なる運動だった。

二〇世紀初頭の建築デザイン運動を率いた人びとがアーツ・アンド・クラフツ運動に魅力を感じ、

その魅力を語るのは、過去のアカデミックな様式との決別もその原点にある。オリエントからのエキゾチックな魅力を引き出し、イギリス人の生活に合わせ、なお社会主義者として労働の平等を唱えた思想が、二〇世紀という未来を照らす、とヨーロッパ大陸の知識層に感じられたのだ。手作業の重要性を、この二一世紀に呼び戻してくれたこともモリスの功績の一つだ。

14章

二つのユートピア——モリスとベラミー

共同体社会主義——国家社会主義

ウイリアム・モリス（William Morris, 1834-1896）は、一八七〇年代の工業生産が世界の五〇％以上を占め、「世界の工場」だったイギリスが、産業立国覇権を我が物にしている時代に生きた。とはいえ、世界はじめての万博がロンドンで開催された、一八五一年のイギリスにおける都市労働者の住まいは、九人が一部屋に寝るほど貧しかった。企業が農村部から出てきた工場労働者に割り当てた住宅には、家具といえば戸棚、机、椅子、ベットがあるだけで、ガス、水道はあっても、共同トイレが各階の廊下についているだけ。これがウイリアム・モリスの生きた時代のロンドンをはじめとするイギリスの貧しい人々の住まいだった。

アメリカ人、エドワード・ベラミーが書いた『かえりみれば』（Looking Backward）を読み反感をいだいたウイリアム・モリスは、それに対抗して『ユートピアだより』（NEWS from NOWHERE）を書いてベラミーに応えた。同じ英語圏であっても全くちがう文化の、アメリカ人とイギリス人、そのユートピアは「国家社会主義」と「共同体社会主義」という正反対のユートピアだった。

『かえりみれば』(一八八八)は一九世紀末の、生れも育ちもいい金持ちの男が、催眠術で眠りにつき一一三年後の二〇〇〇年に目覚めて、ユートピアを目の当たりにし、その社会を語る物語だ。若者は「産業隊」に加入し訓練を受け、四五歳の定年まで義務として働く。そこにはかつてのような辛い労働ははなく、男女の差別もなく、食料危機の恐怖もない。産業技術が進化したアメリカの二〇〇〇年は国家が全てを管理し、報酬のために現金が支払われるのではなく、クレジットで買い物をする社会になっていた。産業革命後のアメリカの機械化を生きてきたベラミーは、はじめてクレジットカードという単語を使った『かえりみれば』を書いた、という意味ではベラミーのユートピアの一部は現実のものになった。

モリスの『ユートピア便り』(一八九一)は、一人の社会主義者が目が覚めると二二世紀のロンドンのテムズ河畔の風景が見える話だ。物語の主人公は船に乗り、そこでチョッキのポケットに手を入れて、「如何ほどですか」とたずねた。紳士が駄賃を払おうとしているのかもしれないという不安がまだこびりついていたが。船頭はけげんな顔つきをして、「如何ほどですって? 何をたずねていらっしゃるのかさっぱりわかりませんね。潮時のことでしょうか」……。「何しろ人を舟で渡したり、水遊びさせたりすることは、これがわたしの仕事なんですから、だれのためにもよろこんでします。だから、そのことで人から物をもらうというのは、とても変です。それにだれか一人がわたしに何かくれたとしますね、そうすればまた次の人も何かくれる、それからまたその次の人も、という具合で……正直のところ、そんなにたくさんの好意の記念品をいったいどこへしまいこんだらいいのか、見当もつかないじゃありませんか」と船頭は仕事の報酬は金銭ではない、という。

モリスはこの物語で手工芸の復活と私有財産の廃止、そして国家という管理機構をなくした社会を理想とし、中世と社会主義を同時に実現したユートピアを語っている。産業革命で工業製品がでまわり、誇りある職人が単純労働者になったのを嘆き、労働と芸術が連帯する未来を夢見た小説だった。

この二つの一九世紀末のユートピアは、この時代のインテリが何を理想としていたかを示すが、二一世紀はベラミーのユートピアにちかい管理社会になりつつある。とはいえ、モリスが「快楽のある労働が機械的な労働を排除しはじめたのです」という視点では機械、AIが労苦を伴う労働者となり、人間はクリエイティブな発想をする時代にさしかかった、と解釈すれば二一世紀を見据えた予見だ。この二つが一九世紀末の理想郷、社会主義的なユートピアだった。一方は国家社会主義 もう一方は共同体社会主義、そのどちらにも辛い仕事はない。辛い仕事をなくす望みが、この時代のユートピアが共に求めるものだった。

一八六七年出版の資本論をドイツ語が読めなかったウイリアム・モリスがフランス語で読んだのは一八八三年だった（フランス語翻訳出版は一八七二年、英語訳は一八八七年）。ということはイギリス人はマルクスの理論に興味がなかったのだろう。とはいえ、マルクスがパリに移住したのは一八四三年、イギリスには一八四九年から一八八三年に亡くなるまで暮らした。つまりマルクスは資本論をイギリス滞在中にドイツ語で書いたのだ。モリスにとって「資本論」は生涯の愛読書だった。

建築家は労働者を発見した——社会主義的ユートピア

だが、イギリス人『明日の田園都市』(Garden Cities of Tomorrow, 1902)の著者、エベネザー・ハワードが田舎と都会を結ぶ田園都市構想を実現しようとしたきっかけは、アメリカの社会主義者のエドワード・ベラミーが一八八八年に著した小説『かえりみれば』を友人から贈られたからだ。「明日の田園都市」は、その後の社会主義的な労働者向け共同住宅計画を牽引した教科書だった。「空想社会主義者」と少々格下げの表現で呼ばれた社会改良家達が、工場労働者の住環境や労働問題の解決に向けて、モデル・タウンの提案をした。その代表的な人物の一人は、ロバート・オーウェン(イギリス社会主義者。織物工場経営者。一七七一〜一八五八年)だった。一九世紀前半には「モデル・ヴィレッジ」と呼ばれる労働者団地ができた。ここでは労働力の安定供給が第一の目的だが、企業の繁栄を工場主と労働者が共有することを富の蓄積と同じ価値があると考え、労働者の住環境も美しくなければならない、と経営者は信じ、建築家は「労働者の社会的状態を改善する」理想に燃え、この時はじめて建築家は「労働者」を発見した。

建築家とは

一九六八年にフランスであなたの職業はと尋ねられ、工業デザイナーです、と答えると、企業に仕えているのね、と冷たい反応。一緒にいた画家は素晴らしい、とあこがれの表情で、もう一人の建築家はまぎれもなく尊敬のまなざしで迎えられた。

反応の理由は簡単だった。ヨーロッパの職業、職能には厳密な階級があり、そのどれに属しているかによって人物の評価は異なる。建築家というだけで、作品を見る前に、あがめられる。理由は建築家という職能の語源をさぐるだけでいい。辞書にはアルファベット表記でarchitectureと書かれ、それはギリシャ語が語源。ギリシャ語のarchitectonに由来し、archi-（最上の）と-tekton（技術者）の二つがつながってできている。つまり、architectonは「最上の技術者」。ギリシャでは、国家的大事業にはarchitectonを任命した。とはいえギリシャの国家的大事業の多くが土木建設事業だったから、職業として、技術者としての建築家ではなく、社会的な責任ある地位としての建築家だった、だから「最上の技術」があり、なお「有能な統率者」だったことになる。

だがそれだけではない。建築がいまなお尊敬に値するのは、中世いらい神に最も近く、しかも空に聳える尖塔があり、神に近づく建造物、教会に携わってきたからでもあった。だから中世ゴシック時代の建築家たちは、職人組合をつくり、組合ごとに、ヨーロッパ各都市に教会をつくるための国際的な移動型職能集団だった。人々が国境を越えるには厳しい掟があったが、建築組合員だけは集団で自由に国境を出入りする特権者でもあった。

建築家は労働者向け住宅を発見

ヨーロッパでは一九世紀後半までは、低所得者むけの建築は左官屋の仕事だった。建築家がやるべきことではなかった。一八四一年に労働者向け住宅建築コンペがあったとき、建築家同盟は、芸術的に興味がない仕事ととして拒否したほどだった。その後一八七〇年頃から社会主義的な運動がはじまり、運動家達が「家庭生活の理想」を語り、芸術は民衆と共にあると表明し、芸術家である建築家も労働者向けの建設に眼をむけ、ドイツにモダン建築が生まれ、住宅に社会主義的な理想が組み込まれた。名もない左官屋ではない、有能な建築家が貧しい労働者と共にあろうとして、モダン建築が建築家の手で生まれることになった。

一八九〇年ころにタウトもこの運動に賛成し、ベーレンスもまた一九一一年にAEGの社宅を建設する。その運動に当然ベーレンスの事務所で修業したグロピウスとミース、そしてル・コルビュジエも参加する。ブルジョワジーが「労働者」を発見したように、建築家は「労働者向け住宅」を発見した。住居がスラムで、たった一つの娯楽が酒場通いであるなら、どうして人は理想的な生涯をおくることができるか、そうであってはならない。だから心地よい住宅を、これがユートピアを現実のものにしようとする建築家の試みの基本にあった。イギリスの田園都市を理想としたムテジウスは、一九〇六年、「現在のドイツにおける市民的な建築美術を特徴づけるものは、近い将来手にはいるはずの健康への願いである」と語り、古典的な様式美に訣別したムテジウスは、住宅が健康をもたらすと、願った。

住宅といっても大企業が都市内で低価格のアパートをたてることはできない。郊外で土地をみつけるしかなかった。住宅を供給すれば、労働者は企業から離れず、企業は彼らの指導ができる。だがこれは経営者指導型の福祉政策住宅ではないか、という疑問が生まれ、企業と住宅建設という共同事業、つまり建設協同組合をつくった。このドイツの労働者向けの住宅運動はイギリスの田園都市をモデルにしたのはいうまでもない。

もう一つのユートピア——菜食主義

バウハウスの学食は菜食主義だった。というのは大戦直後のドイツの食料事情の悪さも、バウハウスに予算がなかったことも菜食の理由だが、他にも理由があった。それはこの時代の理想郷、ユートピアの思想に菜食主義があった。

一八四八年の革命はヨーロッパ各地で起こり、ウィーン体制の崩壊を招いた革命が挫折した後に、彼らは政治ではなく、生活改革を求めた。その一つが菜食主義と自然療法だった。植民地を求めて地球の果てまで我が物にしようとしたこの時代に生きたヨーロッパのインテリ達は、異国の宗教にも興味を抱いた。キリスト教とはちがう宗教、東洋思想、バカラ、神智学（グロピウス、シュタイナー）、ゾロアスター教、マズタ教（イッテン）など彼らにとってどこか救いがみえる異境の宗教のインフレ時代でもあった。日本でよく知られたシュタイナーもエコロジストであり、平和を求める農業を推進し、菜食主義の信奉者だった。菜食主義は一七、一八世紀にプロテスタントの宗派が聖書解釈をしなおし楽園追放以前の菜食生活を再発見したものだった。

ベルリン郊外には最初の「果樹園コロニー・エデン」ができた。野菜・果樹の栽培と健康的な食生活を通じて、理想的な自治社会を築く運動だった。バウハウスがこの運動の一翼を担っていた、というのはどこか不思議だが、菜食という質素な食事は学生の経済困難を救うためでありながら、教員達の神秘主義にも、簡素なモダニズムとも相性が良かったからだ。

企業と二つのユートピア――「ドイツ・クラフト工房」

ドイツの数多くの田園都市でもドレスデンの家具工場主のシュミットは一九〇九年に家具工場「ドイツ・クラフト工房」を建設し、その発展的な計画都市「田園都市ヘレラウ」は当時のユートピアとモダニズムを同時に語るにふさわしい。ここには日本人の舞踏家やアーティストが参加し、その感激を日本に持ち帰っている。

第一次世界大戦で敗戦したドイツは、工業製品を輸出して賠償金を支払っていた。労働環境は悪かった。その当時ブルーノ・タウトは労働者のためのジードルング（集合住宅）を一九二四年から一九三二年までに一万二〇〇〇戸設計した。住宅にはトイレと浴室があり、二〇〇〇戸が馬蹄形の池を囲んでいる住宅群だ。現在でも当時を忠実に再現した「タウテス・ハイム＝タウトの家」として機能している。

「田園都市ヘレラウ」

一九〇九年に建設されたドイツ最初の「田園都市ヘレラウ」、建築戸数三〇〇〇は労働者に良い住宅を提供しながら共同体を作り、さらに芸術教育で〝新しい人間〟を育成する夢の都市だった。ドイツ工作連盟のメンバーであり「ドレスデン工芸工房」家具製造会社の社長カール・シュミットは工場に働く労働者と家族のために必要と考えた。シュミットは北欧とイギリスを徒歩で旅し、アーツ・アンド・クラフツ運動を知り、ムテジウスもこの設計に参加した。ヘレラウに芸術教育のためにダルクローズ学校ができ、最初一〇三名だったリトミック（エミール・ジャック＝ダルクローズが考案した音楽教育）の生徒数は五〇〇名を越し、年に一度の祝祭週間は国際的な注目を浴びてバーナード・ショーやマックス・ラインハルト、セルゲイ・ディアギレフやヴァーツラフ・ニジンスキーなどの舞台芸術関係者たちが訪れたほど、瞬く間に世界の注目を浴びた。そしてヘレラウの子供たちは、ダルクローズ学校でリトミック体操を学び、放課後はドイツ・クラフト工芸工房や芸術家コロニーのアトリエに通って工芸を学ぶ、という恵まれた教育環境にあった。いうまでもなくドイツ・クラフト工房の工芸家たちがヘレラウに移住し、彼らの周囲に仲間たちが集まり、住みはじめ、芸術家コロニーが出来るのは自然の成りゆきだった。

ミュンヒェン家具工房の彫金師ゲオルク・フォン・メンデルスゾーン（Georg von Mendelssohn）、彫刻家のパウル・ペータリッヒ（Paul Peterlich）、陶芸家やピアニストたちがヘレラウの住環境に惹かれて移り住み、アトリエを建てて芸術活動を始めた。さらに文筆家や作家たちが後に続いた。そのコロニーの発展に寄与したのは出版業だった。出版を通した思想の共有こそこの時代にとっての福音だったからだが、それゆえにヘレラウの注目度は高かった。

ミース・ファン・デルローエの妻はこの学校の生徒だった。ヘレラウの学校を見学した人々は、金持ちの子も貧乏人の子も手をつないで踊っているのを見て驚いている。逆にいえば、階級社会では金持ちと貧乏人とが同じ学校にいることさえなかった。ヘレラウは民主主義、労働と遊びと身体訓練がバランスよく、心も体も思想も美しい環境で交錯する、ユートピアの典型だった。

従業員の住宅だけでなく、学校もまた芸術家や文化人が集うコミュニティーにしようとした。リトミック体操を教えるダルクローズ学校は開校前から評判となり、一七カ国から一一五人の生徒が集まった。というのは、ダルクローズは開校の広告に「修了後リトミック教師として自立可能です」とあったからだ。まだ女性が働き、自立する機会が少なかった時代だったから女性の入学希望者が多く集まったのは当然だった。祝祭劇場（ハインリヒ・テッセノウ設計）で毎年学年末に開かれたダルクローズ学校の祭りには、ドイツ内外から五〇〇人を超えるジャーナリストと数千人の参加者があつまり、セルゲイ・ディアギレフ、ヴァーツラフ・ニジンスキー、アンナ・パヴロヴァ、セルゲイ・ラフマニノフ、バーナード・ショー、ポール・クローデル、マックス・ラインハルト、フーゴー・フォン・ホーフマンスタール、ルドルフ・フォン・ラバンなど、すでに国際的に名前が知られていた有名文化人のキラ星のような観客であふれるほどの賑わいだった。

一九一三年、ドイツを訪れた小山内薫は、ベルリン滞在中の斎藤佳三と山田耕作とともにヘレラウを訪れている。音楽、絵画、文学、舞踊、演劇、建築デザインなど、あらゆる芸術や思想の動向に敏感だった斉藤佳三にとって、ヘレラウで見聞きしたことは印象深く、同じ年に二度もヘレラウを訪れ、第一次世界大戦後の二度目のヨーロッパ旅行でもヘレラウを目ざした。舞踏家ダルクローズのリトミックに心を奪われ、新しい住宅建築やシュミットの家具工房のデザインを知った刺激的な場所だった。斎藤佳三が帰国後に日本に残したありとあらゆる種類の芸術的な仕事をみれば、どれだけ彼がヘレラウに学んだかが伝わる。いや、建築家とは何かを学び、それを自己の課題として、建築、ダンス、舞台装置そしてファッションまで、幅広い活動を日本で残した。アーティストとしての全領域をヨーロッパに学んだのだ。

一九一三年ベルリンに来た伊藤道郎はヘレラウのダルクローズの学校三四三人中たったひとりの東洋人として入学した。翌年、伊藤は第一次世界大戦の開戦で日本が敵国となりヘレラウを去る。

ベルリンにあったベーレンスの事務所で働いていたル・コルビュジエは、ヘレラウに参加したい、と手紙を書いた。だが良い返事はなく、あきらめたという逸話もあるほど、建設以前から新しい都市計画のうわさはひろまっていた。

ル・コルビュジエの兄がリトミック教師兼作曲家としてダルクローズの学校の教員だったという関係もあり二回もヘレラウを見学し、ギリシャ的な古典とモダンが入り交じったハインリヒ・テッセノウが設計したこの祝祭劇場を賛美し、その直後一九一四年には、モダン建築にとって重要な設計思想となるドミノ計画を発表している。コルビュジエの興味はテッセノウのギリシャ建築への回帰と別の新しさ、その狭間にあった。テッセノウの禁欲的で簡素な造形にコルビュジエは魅了されていたのだ。

ワイマール時代のテッセノウは、ムテジウスなどと一九〇八年にヘレラウをつくり、ドイツに初めてのイギリス的な楽園を作った。

彼はベルリンで一九二六年から一九三四年まで技術の教員だったが、その生徒の一人にヒトラーの好んだ建築家のひとりシュペアがいた。一九二五年に彼は成績不良で退学したが、二七年にはシュペアはテッセノウの助手に雇われている。ドイツ的な形態を求めてきた彼は「最高にシンプルな形が最良ではないが、最良なものはシンプルだ」と言った。

だが第一次世界大戦がおこり、田園都市ヘレラウは「ダルクローズ学校」の校長でスイス人のエミール・ジャック・ダルクローズが戦争を理由にスイスへ去ったことが原因で支柱を失った。ダルクローズが一時帰国していたスイスからドイツに再入国できなくなったからだ。

品行方正への道、田園都市

理想郷、田園都市は、ユートピアに向けた建築であり必ずしもモダンを目指したわけではなかったが、集合住宅という生産活動の基盤となる労働と密接している限り労働の効率と並んで、建築物の効率も重要となり、同じ家屋が並ぶ退屈な風景が生まれる。だがドイツ最初の田園都市「ヘレラウ」では、暮らすという基本条件に、学び楽しむという価値が付加され、二〇世紀初頭の企業主の思想と建築家の社会主義的福祉活動が結びつき、彼らなりのユートピアは実現した。工業を否定せず農業や自然と併存させ、なお芸術活動を奨励しながら、人間的な生産社会を創ることを目指し、モダニズムを思考したユートピアの一つがヘレラウだった。バウハウスの建築家達にモダンではないと批判されたほど、住宅に平屋根はなかった。

イギリスのユートピアとしての労働者住宅建築のための田園都市運動と、ドイツの田園都市運動との差は、ドイツに具体的な生活改善の重点があったことだ。ヘレラウの家具工房では芸術家、企業家、建築家などが協力して家具調度品をデザインし、生活の理想像を提供し、量産品を安く流通させようと試作に励んだ。これはウエルクブンドの目的にかない、世界市場でドイツの競争力を高めることにつながる。ドイツでの生活改善のもう一つの特徴は、社員に庭園という楽しみさえ与えたことだ。前庭があれば社員は余暇に自宅の庭を耕し野菜を育て、あるいは花を植えるという趣味を楽しみ、酒の量もすくなくなる。これはアルコール対策になるだろう、と。都会から離れた地域では、酒場も、キャバレーも、賭博場もない。何かそれにかわる、生活改善に結びつく娯楽をと考えた企業主や建築家は楽しむ庭園、いや菜園を選んだ。

産業革命で先頭を走ったイギリスで始まった労働者のための「田園都市」という美しいユートピア、理想郷、この美しい名前は労働者階級の品行方正を導く道具でもあった。芸術運動もまた労働者を含めた品行方正な国民を対象にした運動だった。その結果「田園都市へレラウ」に酒場は一軒しかなかった。

芸術家のコロニー、一〇〇年かかった新様式

一九世紀末から二〇世紀はじめに、ヨーロッパの各国で芸術家のコロニーができた。なかでもダルムシュタットのコロニーは、アーティスト達の伝統からモダンへの移行を物語るドラマのように、建築家も工芸家も画家も、あらゆる手段で主義主張を市民に知らせた。というより国際的に知れ渡った展示に世界中から、人々が集い、ダルムシュタットでの運動に注目した。

その全てが、アカデミズムに反対を唱える心意気に燃えたユーゲントスタイル様式でモダンを反映した。それは建築から、家具、壁、インテリア部品、印刷物の装丁にまで及ぶ。当時の機械生産は無制限といってもいいほどのスピードと量で、ギリシャ風、ロココ風、バロック風の模倣品を無限に作り出していた。単なる模倣というより、様式の組み合わせ、そのほうが輝かしいと、ロココとバロッ

クの装飾が一つの家具についている歴史混合風さえ機械で生産され、評判は良かった。その過去の模倣の中から抜け出ようとするのがユーゲントスタイルだった。流れる曲線を具象的に人物にも風景にも、家具や食器にも応用したユーゲント。この若さを表現したかった様式とは、一〇〇年をへてヨーロッパに初めて出現した新しい様式：ユーゲント（ドイツ）、アールヌーボー（フランス、ベルギー）様式であり、ヨーロッパの古い流れを一掃する役割を担った。ユーゲント、アールヌーボーはたとえその流れが世界中に羽ばたかなかったとしても、庶民の家庭にまで浸透しなかったとしても、時代は変わらなければならない必然のスタイルとして世紀末から世紀の初頭に現れ、それが直線にたどり着くまでに時間はかからなかった。

その必然とは、量産という生産方式、早く、量を、安く、が要求したシンプルという形態に導くまでの思考が生んだものだ。ユーゲントはゴシック、ルネッサンス、バロックの模倣のあとに生まれたひとつの解放だった。

やがて建築もインテリアも工業製品も装飾がない抽象的なスタイルに席を譲り渡し、ユーゲントは役割を終える。具象から抽象にと一挙に世界が変わるのではなく、その間にかけた橋が、ユーゲントでありアールヌーボーだった。いや、フランスのアールデコも掛け橋だった。バウハウスはこの橋の向こう側にいた。アンリ・ヴァン・デ・ヴェルデというアールヌーボー様式の建築家が、まだ注文手作業で製作していた家具から、一歩進んで組立可能な部品で構成した「タイプ家具（type moeuble）」を提案していたころ、工芸学校の校長としてワイマールに着任し、やがてグロピウスにバトンタッチされてバウハウスに成長する。つまり、バウハウスのモダン・デザインは、アンリ・ヴァン・デ・ヴェルデの手ですでに準備されていた。

ベーレンスのモダンから

ベーレンスは鉄骨の工場、AEGタービン工場（一九一〇年）を鉄とガラスを使い古典主義的な技法でつくり、GHH社中央倉庫（一九二五年）を鉄とコンクリートそしてガラスで設計し、モダン建築の鉄とガラスの時代に橋を架けた。ベーレンスの経歴を振り返れば彼のスタイルの変遷はアールヌーボー、アールデコ、そして直線のモダンへと、一歩一歩階段を上るように変化した。世紀末から二〇世紀の中ごろまでの急激なスタイルの変化のなかで、若き建築家の切磋琢磨する姿が見えるのだ。ベーレンスがオルブリッヒとともにダルムシュタットに招聘されたのはアールヌーボー風のグラフィックデザイナーとしてだった。だが彼はここでたった一人だけ自邸を建設する。そのデザインは緩やかなカーブのある玄関、そしてインテリアを含む生活用品の全てをユーゲントスタイルでデザインし、一九〇一年に建築家となるチャンスを得た。

バウハウスの誕生は、アンリ・ヴァン・デ・ヴェルデ（アールヌーボー、ユーゲント）を掛け橋としてグロピウス（バウハウス）のモダンへ、というあまりにもできすぎた二人の交代劇だった。いやモダンは着実にやってきた。そして急速にドイツ産業はモダンを担って世界にはばたいた。

15章

芸術家村——マチルダの丘：オルブリッヒ

ユーゲント——過去を断ち切る大鉈

『Die Jugend』という総合芸術雑誌がドイツで発刊されたのは一八九六年だった。jugentとは若い、青年、という意味だが、この雑誌には「芸術と生活のためのミュンヘンの週刊誌」という副題がついている。日常の文化、アート、音楽、演劇など芸術的なものであればなんでも紹介しよう、という自由な雑誌だった。青年向けではあったが年齢の若さというより、心に若さを保つ読者を対象にし、安い購読料金の設定をしようと、広告を大量に入れ、その表現も本紙のイラストや漫画などと同じレベルだった。雑誌はアールヌーボーと同じように、アカデミックな表現ではない新しい様式、つまり伝統からの脱出だったが、必ずしも装飾をはぶいた簡素、直線、モダンにまで飛躍せず、読者自身で新しい様式、ユーゲントシュティールをみつけてください、と呼びかけた。

ユーゲントシュティールの芸術家村はドイツ・フランクフルトの近くダルムシュタットだった。そこでヨーロッパ最高の芸術家を集めて村をつくったのはヘッセン大公、エルンスト、ルードビッヒ。エルンストはイギリスとロシアの皇室の親戚であり、ビクトリア女王の孫、という戦争をさけようと政略結婚を選んだ家柄に生まれたから、イギリスの文化に詳しく、モリスの運動も理解し、新しいアートを願った人物だったようだ。

ヘッセン州の工芸を促進しようと、芸術家を集め、彼らにアトリエつき住宅を与え、基本的な収入も約束し、なお建築をふくめたデザイン（住宅、食器、衣類、家具）を設計し、展覧会で販売をするために、マチルダの丘、一万平米の敷地を用意した。ダルムシュタットで一九〇一年から〇四年、〇八年、一四年までに四回の展覧会を開催し、最終回は第一次世界大戦勃発の一九一四年だった。これほど贅沢な条件を建築を中心とするアーティストの活動に与えた運動は他に例がない。

マチルダの丘の牽引役だったのが、ウィーンのセセッション（分離派）で活躍していたオーストリア人建築家ヨゼフ・マリア・オルブリッヒ三二歳だった。オルブリッヒ一人だけが外国人で、あとのアーティストはドイツ国内から選ばれた。オルブリッヒがダルムシュタットに招聘され、一九〇一年の最初の展覧会までのたった一年で、共同アトリエと大公館と仮設パビリオン、住宅六戸を完成させた。しかも、この展覧会のための、オルブリッヒらしい、ユーゲント様式の室内装飾、家具、カーテン、絨毯、壁装飾、照明機器、皿、スプーンなどなど生活必需品のすべてをデザイン設計している。これは彼の作品集にまとめられて、あらためて建築家とは、空間だけでなく生活の全てをデザインし、提案する職能、いやアーティストだったことがわかる。

オーストリアの首都ウィーン二〇世紀の幕開けを代表する、屋根の頂上に金の球状の透かし文様がついた白くて直線的な「分離派の館」（一八九七年）はオリブリッヒの代表作だ。彼は一九世紀末ヨーロッパ建築界の大御所といわれる建築家であり一八八九年にオーストリアからドイツのダルムシュタットに招かれて芸術家コロニーの設計にとりかかった。

建築家の作業、オルブリッヒからベーレンスへ

そのオリブリッヒの作品集、約三〇〇枚を三つのカバーに収めた作品を一枚ずつ開きながら、建築家とはどんな仕事をするのかがみえた。なぜ、バウハウスの理想に建築を頂点に、という言葉があったかも納得した。というのは三〇〇枚という作品（写真、デッサン、図面、一部着彩）は、一九〇〇年代前後のスタイルの邸宅、駅、モニュメント、庭園、噴水などで構成されているが、それらは、建物の外観と空間だけの、現代的な意味での建築の常識を裏切ってあまりある作業だった。

作品集は完璧な状態で保存されたものではないから、多少の推測はあるがオルブリッヒがヘッセン大公に招かれて設計した芸術家村完成を記念して、それまでの仕事を披露するための出版だったにちがいない。

作品集では、ヘッセン大公のエリザベータ王女に捧げた小さな館が最も丁寧に細部にわたって記録

オルブリッヒ作品集から

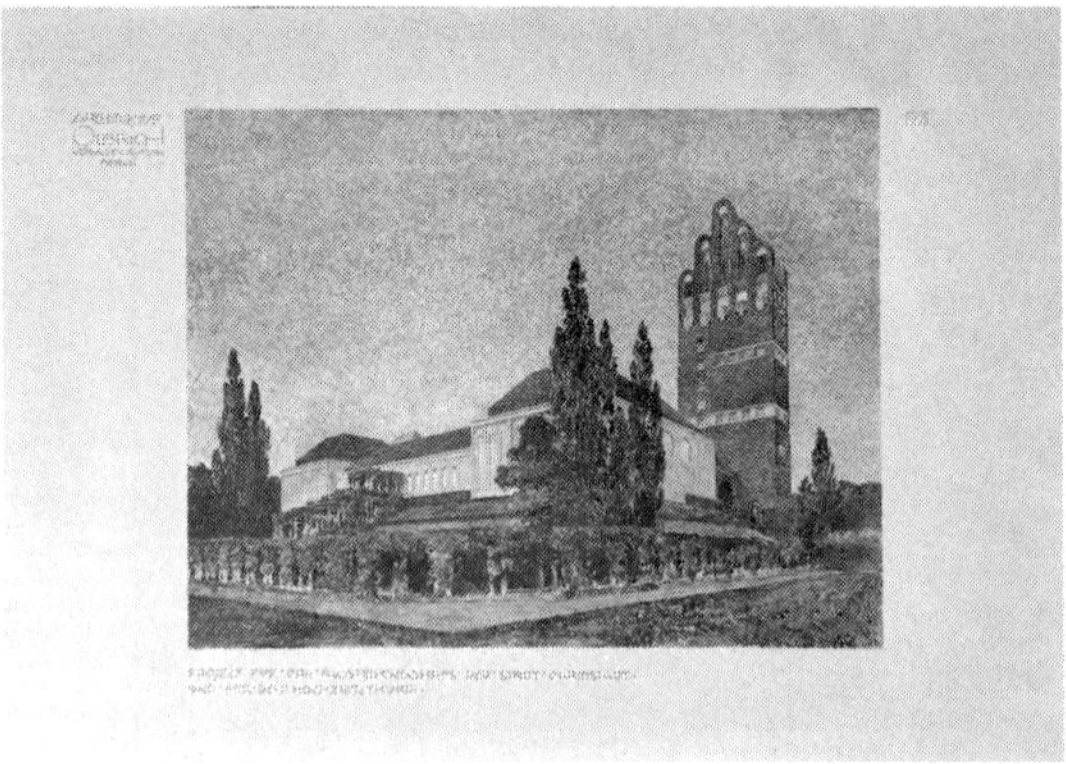

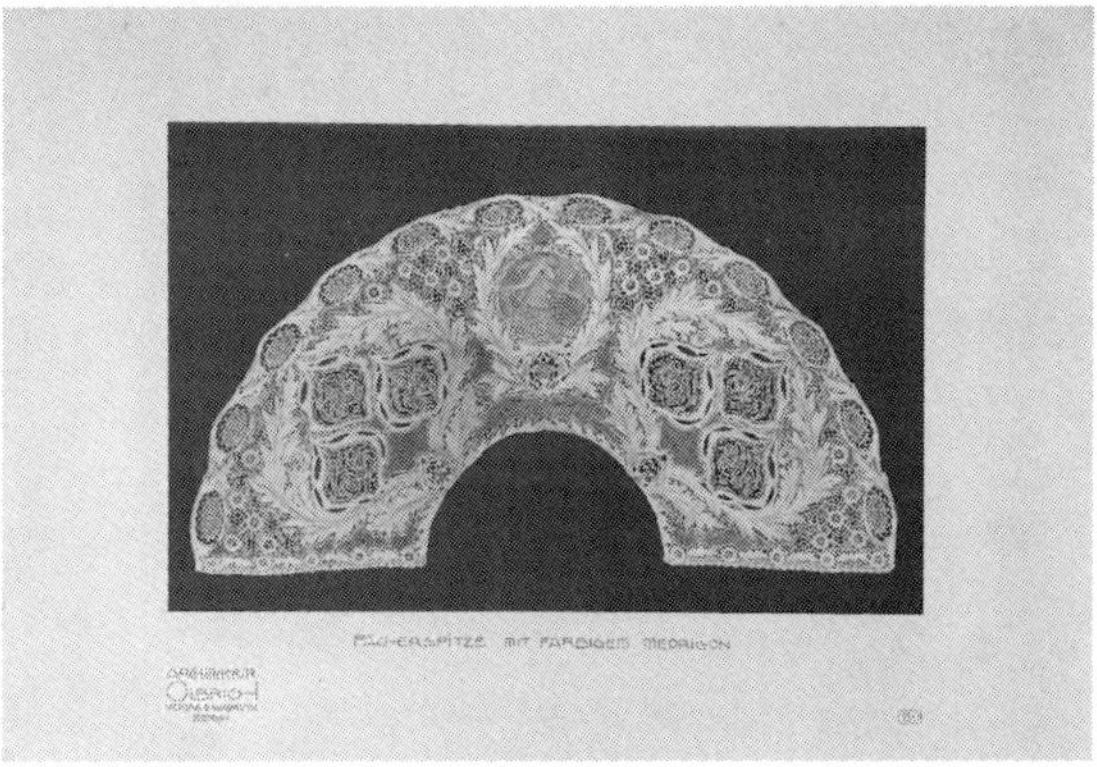

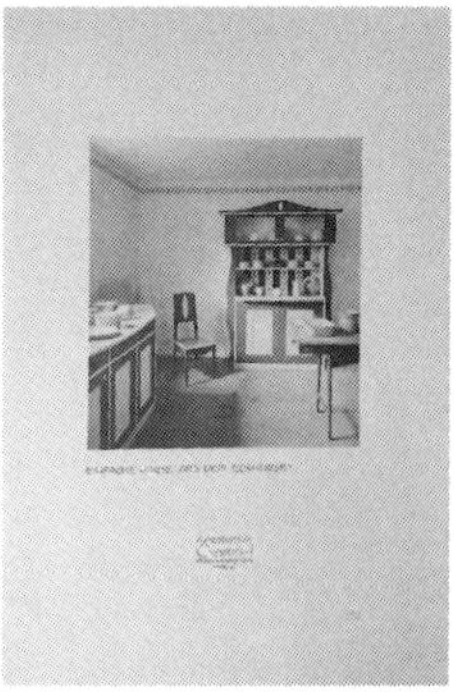

されている。彼自身のサイン「一九〇六」がみえる館のスケッチ、平面、立面、インテリアには椅子、机、カーテン、棚、壁、照明、暖炉、花瓶、絨毯、額縁など、生活に必要と思われるすべての装置がページをくる度に現れる。

しかも、数百枚のカードには、食器、ガラスコップ、フルーツ皿、銀の皿、紅茶セット、キセル、虫眼鏡、インクスタンドなどの日常品、そして大きなものでは窓枠、テスリ、柵、庭などと暮らし方のすべてを、この館の主のためにデザインし、制作した。

驚きはそれだけではない。女性のための指輪、アクセサリー、レースの襟、など衣服にかかわるものまであった。オルブリッヒの友人、セセッションの建築家ホフマンの作品にも依頼者のためのファッションさえあった、というから、おそらく作品プレートには衣装もあったにちがいない。建築と衣装、その差別なしに身を守る、殻をデザインした時代だった。

二〇世紀の建築家は家具、すくなくとも椅子とテーブルを自分の作品に加えた。例えばコルビュジエのロングシェーズ、ミース・ファン・デルローエのカンチレバーの椅子など。だが、一九世紀に活躍した建築家の作業はそれをはるかにこえて、まかされる仕事は空間はもとより生きるための装置すべてだった。もちろん予定する居住者の資産に応じて、豪華、シンプルと差がある。おおむね分離派、ユーゲントのスタイルだったが、木材を切断しただけのシンプルなタンス、机など量産に向く家具も含まれている。シンプルだが青い直線でアクセントをつけただけの台所が好評だった、と記録にある。

オルブリッヒ設計のオーストリアのウィーン分離派の展覧会場完成は一八九八年。ダルムシュタットで芸術家村の結成は一年後の一八九九年。第一回、一〇棟の建物と工芸品の展覧会は二年後の一九〇一年から一四年まで。たった一四年間という短い期間にオルブリッヒが残した業績は膨大としかいいようがない。

第一期展覧会に参加した建築家はオルブリッヒ一人だった。（他のメンバーは織物、ガラス、金属加工などの工芸の職人）。ウィーンで設計したセセッション（分離派館）の館の評価も高かったが、ダルムシュタッドではユーゲント様式の横一連の窓のある「結婚記念塔」で成功した。

オリブリッヒの名前と同時にペーター・ベーレンスも展覧会に名前を見せるが、彼はグラフィックデザイナーとして呼ばれ、ダルムシュタットでの自邸の設計が彼の最初の建築だった。

ベーレンスのスタイルの変化が興味深い。彼はオルブリッヒの影響を受けてグラフィックな広告ではアールヌーボー様式だが、自邸の建築になると曲線が緩やかになりユーゲントに変化し、AEGの顧問になる頃の建造物、工業製品では直線、幾何学的でモダンな造形に、と彼の作風は世紀末からモダンへの移行を段階をへて表現した。グラフィックデザイナーから、建築家に、そして工業デザインのパイオニアになるまで、様式を乗り越える足取りがよくわかる作品を残したデザイナーだ。

ヘッセン公がダルムシュタットに多くの芸術家、建築家、工芸家を呼び寄せられたのは、アーティストに給与を保証しただけでなく、教授の称号を与えることを約束し、なお作品の発表の場があったからだった。芸術といえばパリの華やかさにはかなわなかったが、ダルムシュタットという辺鄙な田舎にまでアーティストを集めるために夢のような条件を設定した一大イベントは、ヘッセン州の産業発展のためでもあった。一九世紀末から二〇世紀初頭の一地方都市の産業振興のためとはいえ、この住宅と工芸品の展示にかかわった工芸家、建築家、工場主、そして世界から訪れた見学者などの交流は、必然的にモダンな生活への誘いともなった。

ギリシャ・ローマの伝統の絆を切り離し、近代建築、バウハウスに導いていった様式の一つがユーゲントだった。オリブリッヒはその点で有能な建築家だったが、たった一人の外国人が支配することへの批判もあり、過労がたたったからと言われるが四〇歳という若さでこの世を去った。

イギリスのラスキンやモリスの運動、その近代デザインの思想が、ドイツのダルムシュタット芸術村運動を通してドイツへと中継されてドイツ工作連盟が設立する。それがまたイギリスへと波及して、工作連盟のお里帰りが起こった。さらに、北欧から中央ヨーロッパ諸国で同じ運動体が生まれ、企業とデザイナーの手で産業の近代化がすすむことになる。

手作業か機械化、量産への懐疑

この時代に活躍した評論家は、「機械によって生産される製品は、それが量産品で美しくても、値段が安くても、庶民は好まないだろう。なぜなら、美しくて、同じモノが沢山あることに我慢ができないからだ。数多く量産されてなお美しいもので庶民が好んで手にするモノとは、必需品、生活用品だけだろう。つまり、家具のような宝飾品、銀製品、住宅など、持ち主の人格や趣味を他人に見せる

ベーレンスの変遷

アールヌーボの雑誌表紙、ベーレンツユーゲント様式、マチルダの丘自邸とインテリア、展示会場1907、AUGの嘱託デザイナー時代の量産品1909

ようなものを、たとえ美しくても量産すべきではない。なぜなら実用品が美しく装飾され特別なものになったとしても、それは美とかかわりのない偽りのモノでしかない」と量産品に対する蔑視と批判を述べている。

とはいえ、「この時代にはさらに、展覧会でみる素晴らしい職人の手仕事はこれからは機械が作るだろう。未来にはすべてが機械化され、職人の手作業と機械の作るものの間に差はなくなるかもしれない。芸術家たちは、市民の趣味に沿い、ふさわしいモノをつくるようになるだろうし、それにふさわしいデザイナーが生まれ、さらに高い試みをするにちがいない。機械は素早く反復作業をし、合理的だ。だが、同質のものを大量生産しなければならないことをごまかすために、新しいけれど奇妙なものを作りがちだ。実用品を偽りの価値でかざってはならない」と量産品に理解をしめし、なお警告をする知識人も現れた。

持ち主の身分、人格、趣味を他者に見せるための建築、生活用品かどうかを、量産品か工芸品かで見極める、階級制度がきわめて明らかだったからこその議論だった。なぜなら、この時代の美は、まだ金持ち階級だけが手にするものだったからだ。

16章

モダンへの一歩、シンプルとクリア

モダンとは

すべて（ゼロ）からやりなおそう。これが一九世紀はじめのヨーロッパのモダン、デザイン運動だった。そのモダン運動の戦士達はギリシャにはじまり、ゴシック、ルネサンス、バロック、ロココと続いてきた様式、あるいはアカデミックな芸術という太い縄を大鉈で切り離し、一九世紀末にはアールヌーボー、二〇世紀にアールデコ、ユーゲント、セセッションなどを提案し、やっとのことでモダン・デザイン運動は軌道にのった。

数世紀も繰り返してきた様式の模倣や反復とそれらの組み合わせを過去の物にして捨て去る運動だった。

当時の「モダン」という言葉にはどこか犯してはならない、規律を破る、頼れる親から離れる、という心細さもあっただろう。いや装飾という楽しい仕事を職人は手放さなければならなかった。どんな家屋でも家具でも装飾一つで違った顔になった。その安易な秘密兵器を捨てたのは、モダンを求める消費者がいたからではない。アーティストが理想にむかって作品を造るような行為でもなかった。何らかの必然があって、装飾のない家屋が、家具が、生活のなかで歓迎されることになり、いや提供される仕組みができたからだった。

捨てるべきとされたのは、中世から一九世紀初めまで絶え間なく続いてきた、建築とそれに付随するインテリアの様式、それぞれの時代の権力者の思惑を反映する飾りの様式だった。それは時間の流れに沿って様式がかわるのではなく、勝利をあげた権力者とその御用商人が、あなた様に相応しいものはこれです、とモデルやデッサンを示し、あっというまに、すべてが同じルールで新しい宮殿、家具、装飾品、そして衣装ができあがり、それまでの様式が一挙に古くなる、という慣習が四〇〇年以上も続いたからだった（ここでは、モダンの本質を、先行するスタイルの拒絶と、いまだ存在したことのない新しいスタイルの追求、という意味でとらえる）。

捨てる過去を持っていたのは、権力者、金持ちであり、彼らは前の権力者のスタイルから次のスタイルに乗り換えてきた。

ということは、全面的に捨てたい、と言えたのは庶民、この時代に生まれた労働者という階級だった。庶民が過去を捨てたいというより、目に見えなくしたかったのだ。これから生まれるもので過去を見えなくしたい、といいかえたほうがいいかもしれない。

権力のデザイン

フランスには、一五世紀に名前を馳せたジャック・クールのような王家の支出管理と食糧・装飾品・家具、王宮の人々の衣装など、宮廷が必要とするすべての物資を調達した御用商人がいた。彼らのような人物が国王に限らず、貴族、金持ちなどの権力者に好まれそうな建築やインテリア備品と装飾、そしてファッションを選び提供してきた。

パリのマレ地区にある建築やインテリアに特化した図書館で一九世紀始めの、この土地に住む富豪の御用商人が提案した家具の注文書類をみる機会があった。もちろんアンピール様式だったが、椅子、机、足置き、棚などなど、全てが統一ある色と装飾でできた直線的なデザインのデッサンや図面だった。この図書館の近くは、貴族の館がある区画だったから、かつての家具工房がルイ一四、一五、一六世など様式家具のレプリカを造り、なお修理に応じている。いまでは新規購入も修理もほとんどがアメリカ人だというが、アメリカ人に限らず客はいまだにクラシックなものに執着する、と職人は語る。過去にすがる、過去を捨てる、という心理はどんな時代にも共存するが、捨てる原動力は社会的な混乱があり、それが顕著になった地域と時代が過去を捨てようとするモダン運動につながった。平和な時代、何事も起こらない時代に、家具装飾品のスタイルが変わることはなかった。

ドイツに始まったモダン・デザイン運動は、直接的には第一次世界大戦という混乱の直後に生まれたが、それ以前から産業革命で生まれた労働者のための、無駄のない住宅環境を彼らの手に渡そうとし、さらに暮らし方そのもの、生活改革運動にまで至る、という社会主義的モダンの前哨戦があった。とはいえクラシックな家具を一掃したわけではなかった。金持ち、中流などは相変わらず様式家具を選んだ。

ましてや、フランス革命後の共和制度から再度王政にもどる（一八〇四年ナポレオンの第一帝政、一八一四年ナポレオン失脚と王政復古、一八三〇年七月革命）という、王、議会、皇帝、王、議会と権力が目まぐるしく変化したフランスでは、宮殿、館の家具装飾様式も権力者の交代ごとに変化したが、現在もその変化の片鱗は残っている。ことに、大統領が使う官邸の家具は権力の交代と同時に、大統領とその家族の趣味趣向に沿って変えるのが習わしだ。つまり権力とインテリア・デザインの関係は変わることなく持ち主の歴史観、人格、趣味を国民に知らせる役割を果たしてきた。

マクロン大統領の執務室の机はバロックを、マダムは四角でモダンな家具を選んだ。右翼でモダン好みのポンピドーは、エリゼ宮の大統領執務室の改修を「フランスのモダン世界への入口に」という言葉をかかげてモダンを代表するピエール・ポーラン（pierre paulin）をデザイナーに指名し、一九七〇年にエリゼ宮の応接間、ダイニングルーム、サロンのデザインを一新した。Salle à Manger Paulin（ポーラン・ダイニングルーム）と呼ばれるポンピドー大統領のダイニングルームの壁は二二枚のポリエステルパネル、椅子は丸い座に片足だけ、ガラス板でできた丸テーブル、インテリアはガラス玉と棒で飾りがついたパネルで照らす空間になった。一部はすでに改修されたというが、このモダン好みは大統領自身というより、むしろマダムポンピドーの好みだった。左翼のミッテラン大統領はクラシックなルイ一五世のタピスリーを選んだが、事務机には様式家具を排して、ツルツルでピカピカのメタリックな淡いブルーの平面で、幾何学的な机上の角に平行する赤い数本の象眼縁取りがあるだけのモダンな執務机に変えた。デザイナーは、再度ポーランだった。二人の大統領は、モダン家具、いやモダンなフランスを国民に見せた。メディアは為政者の趣味を儀式のように国民に知らせる義務がある。権力者の交代があれば古くなった家具は美術館に寄贈される。

それだけではなかった。歴代の王が使ったフランスの様式家具とは、フランスという洗練された文化を代表する商品だった。様式をかえるたびに、国外の賓客の新たな消費意欲をわきたたせる物、商品だった。

引用なしの建築——技術をねじ伏せない

パリのモダンをさらに世界中に知らせた「ポンピドー文化センター」(一九七七年開館)は、二〇世紀「空想美術館」を提唱した文化大臣アンドレ・マルローの構想だった。彼はル・コルビュジエ(一八八七〜一九六五)にこのプロジェクトをまかせ、ル・コルビュジエは螺旋状の建物の最上階まで観客を上げ、階段を下りながら作品にふれ、なお無限に拡大できる構造を設計していたが、一九六五年に急死し「空想美術館」案は消えた。一九六〇年代にアメリカに移ったモダンアートの拠点を、フランスに取り戻そうとする願いをドゴール時代のマルロー文化大臣から引き継ぎ、ポンピドー大統領が完成させたのが、マティス以降二〇世紀を俯瞰する作品を収蔵する文化センターだった。

過去の建築様式から何の引用もないこの文化センターは、エンジニアリングだけが構成した建築空間だった。設計者リチャード・ロジャースとレンツォ・ピアノは、歴史を彩る固い表情の建造物に囲まれたパリに、水、空気、電気などをパイプに収め、それらの構成だけで内部に柱も壁もない異色の空間に美術館、図書館、アトリエ、などの文化の内蔵を詰め込み、モダンになりたくて、モダンな芸術作品を取り戻す用命に応えるパリのモニュメントを完成させた。

それどころか、この建物こそ、コルビュジエ的モダンの呪縛から世界中の建築家を、世界中のエンジニアに構造の自由を約束した現代建築史上初の快挙だった。二〇世紀を圧倒した鉄、コンクリート、ガラス、そして白い箱形のモダンに別れを告げ、もう、コルビュジエ風でなくてもいい、もうバウハウスでなくてもいいじゃないか、と鉄パイプの構造材だけの、自由に区切ることができる空間をパリという文化の中心に添えた。

もちろん建築の二一世紀のモダンを同時代に提案したのはイギリス「セインズベリー視覚美術センター一九七八年」だった。エンジニアであるイギリスのノーマン・フォスターの作品だ。彼はヘリコプターの回転する羽根がどうして推進力になるかの仕組みに好奇心を抱いた子供時代の思いをそのまま建築構造にぶつける、エンジニアだった。一九六〇年代にリチャード・ロジャースなどと「チーム4」という建築グループをつくっている。彼らは四角や長方形の弱さを筋交いで補うという手法を繰り返して、最小限の素材で最大の空間に仕上げた。そこには技術が優先する。

ポランによるエリゼ宮のモダン・インテリア、ポンピドーのために。1970年

一九世紀末のエンジニアの作業は技術と素材の可能性がまず考慮され、形は素材での可能性が確かめられた後に生まれた。例えば橋や駅舎がそうだ。ところが建築家を育てる教育環境では、アート、造形、つまり形が先にあり、そのためにエンジニアリングを使い、技術を形にねじ伏せてきた。アートが技術を征服するのがモダン・デザインの手法だった。モダンを表明してきた建築家にはこの二派があり、アートに技術をあわせた建築家が後世に名前を残している。ポンピドー文化センタ

ーでの成功は、そのどちらでもない、エンジニアと建築家の巧妙な結合が実ったものだ。
とはいえ、コルビュジエが毎朝の儀式のように描き続けた抽象絵画のように、キュービズムの手法で空間を丸、三角、四角でくぎり、アートとしての建築、視覚的な構造を残した建築家のほうが数多い。

マルローとル・コルビュジエ

スイスで生まれたコルビュジエは四〇代になってフランス国籍を取得したが、生前からの理解者だったアンドレ・マルロー（元フラン文化大臣）は国葬だったル・コルビュジエの葬儀の悼辞で、「あなたほど辛抱強く侮辱されつづけた人はいなかった」。「住宅は住むための機械」という言葉は彼を理解するためには十分ではない」。「住宅は生活の宝石箱、幸せをつくる機械だ。このもうひとつの言葉こそが彼の真意を表している。フランスはしばしばあなたを誤解してきた」と。

フランスの近代化、都市化への道のりで芸術家、建築家などの果たした役割は大きかった。当然その背後に産業革命以降の富裕層、産業資本家、ブルジョワ、パトロンと呼ばれる人々が、かつての貴族にかわる文化、芸術の担い手となったからだった。

フランスの二人の首相（ポンピドーとミッテラン）と親しかったモダン・デザイナーの一人、ピエール・ポランは、「フランスはルイ一五世や一六世の時代から、デザインの先端にはいなかった。革命以前、フランスの上流階級にはすばらしい頭脳を持った人々がいた。サロンにいた彼等は、東からやってきた創造的な若い芸術家を受け入れ、彼等の荒削りなアイデアを洗練させてルイ一五世や一六世スタイルを築き上げた。つまり、それはオリジナルでは無く、東から来たアイデアを改良したスタイルなのだ。フランスからは何も生み出されていないのだ。フランスのデザイナーにはカルチャーがない。自然にたいする感性とか、教養、世界に開かれた目、家族への意識がない。バイキングの船、フィンランドや日本の伝統的な木製品、輪がはまっているだけの桶、こんなシンプルだけど完ぺきな形、そんな物を理解できるカルチャーが、フランスにはない」と憤慨する。ピエール・ポーランの家具には、プラスチックというモダンな素材との格闘がある。

とはいえフランスには、一五世紀に名前を馳せたジャック・クールのような王家が必要とするすべての物資を調達した御用商人がいて、それぞれの権力者のために時代にあった様式を選び、運んできたのだろう。

建築と権力の関係は時代とともに薄くなったわけではない。現代でも建築家は、イギリスでは女王陛下からサーの名誉が、フランスでは大統領から勲章という形式で、報いられるご褒美つきだ。いや小学校の授業でさえ、建築の解説があり、新しい建築施設を教員が引率して見学するときには、入り口で建築家の名前とともに構造について、歴史的意味についての紹介がある。庶民にとっても建築家は尊敬に値する職能であることへの刷り込みは子供時代から始まっている。数十年、いや数百年も命ながらえる建造物に相応しいかどうかに厳しい眼を子供時代から育てているからこそ、美しい景観が保たれてきたのかもしれない。

グロピウスの一九五〇年代、アメリカ——プレハブ住宅との格闘

バウハウスを受け継いでドイツに開校したウルム造形大学、その創立者であるオテル・アイヒャーが一九五〇年代にグロピウスとアメリカのボストンで一緒に散歩をし、モダンな建築にどのように機械部品をどこまで応用できるかを議論した。

グロピウスはいまコンラッド・ワックスマンと組んでいる。だけどワックスマンは大量生産できる金属のジョイントのデザインをしているが、そのジョイントがどうやってもうまく組みあわない。ワックスマンは問題を解決しようとしてまるで機械そのもののようなジョイントを提案した。だがグロピウスは賛成ではなかった。というのは、グロピウスは建築というものは常識的な概念に手をさしのべるのであって、鍵をこじ開けるような行為ではない、というのだ。技術とは新しい素材を使いやすく配置することだ、と。ワックスマンの提案はまるで機械部品そのままのジョイントであり、量産したジョイント金具さえあれば、どんな方向にもパネルを組み立てられるというものだった。

この議論でアイヒャーは、自転車の車輪を例に、素材と技術がどれほどうまく連れ立っているか、これが建築と技術の関係ではないか、と反論したが議論はうまくかみ合わなかった。グロピウスがアメリカに移住してまもないころのことだった。

グロピウスと建築家ワックスマンの出会いは、ワイマール生まれで「バウハウス友の会」の会員だったアルバート・アインシュタインからきた一九三九年の手紙だった。アインシュタインは同じドイ

ツ生まれのユダヤ人である友人のワックスマンに別荘の建築を依頼した仲だった。アインシュタインは「ワックスマンはフランスに逃亡したが、ナチに捕えられ、彼を救出してくれないか」と連絡してきた。翌年自由になったワックスマンがアメリカに逃れてきたのをグロピウスは事務所に雇った。プレハブ住宅建築のための新たなコンセプト「パッケージハウス」（ジェネラル・パネル・システム）、後にジェネラル・パネル会社設立につながる作業が二人で始まった。ジェネラル・パネル・システムとは、木製の壁、天井、床に、同一のサイズのパネルをつかい、ジョイントにはどんな方向にでも継ぎ足せるY字型の部品を用意するシステムだ。そのジョイント部品がグロピウスには気に入らなかった。

アメリカに渡った1946年のグロピウス（左）は同僚ワックスマンとプレハブ住宅のジョイントで悩む。

とはいえプレハブ工法にとって最強の武器でもあるパネルのジョイントこそ人件費も時間も経済的に解決できるものだった。しかもそれは一九四二年から一九五二年の作業だった。というのは第二次世界大戦中のアメリカ軍の基地で、帰還兵士のために、急を要する仮設住宅建設への提案でもあった。

だが二人のこの期間の成果といえば二五〇戸程度の販売で終わり、企業は破産にあう。一九四五年にヨーロッパでは終戦を迎え、真珠湾攻撃時の危機への対応として考案された「パッケージハウス」は、戦争が終わってもまだ量産体制にはなかった。

戦争が終わり、兵士たちは戻り、住宅不足があきらかになった。一九四六年、米国の新大統領トルーマンは、退役軍人のための住宅の提供計画とプログラムを発表し、グロピウスとワックスマンは新たにプレハブ住宅に取り組み、二種類のテストハウスがワックスマンの手で設計された。大規模な工場が用意され、販売の方法などまで綿密な計画があったにもかかわらず、この計画はまたもや頓挫した。

アインシュタインとグロピウスそしてワックスマンという組み合わせも不思議だが、なぜグロピウスが、頑固一徹にエンジニアリングだけに全勢力を注ぎ込み、ワックスマンと一緒にプレハブ建築にのめりこんでいったのか、といえば、おそらくワックスマンにとってアメリカでも有名人だったグロピウスの名声は必要だったし、グロピウスもまたアインシュタインという天才との絆を失うことはできなかったのだろう。建築家グロピウスとしてのアメリカでの作品はニューヨークのメットライフビル（MetLife Building）昔のパンナムビル（Pan Am Building）がある。だがあまり傑出した建築作品はない。バウハウスから同時にアメリカ移民したミースほど作品には恵まれなかった。

ワックスマンと代々木体育館

ワックスマンは日本でも影響の大きかった人物だった。アイヒャーと会った直後の一九五五年にワックスマンは丹下健三に招かれて東京大学でワックスマンゼミを開催し、学生とともにプロジェクトを組み、図面まで仕上げた。ワックスマンが学生に見せた「アメリカ空軍の航空機格納庫プロジェクト」の構造に参加者は見とれた、という。磯崎新は、一九六四年、丹下健三の代々木オリンピック体育館の大屋根のアイディアはワックスマンの理論の応用だ、と指摘する。

過去と決別できない建築——データの重さ

コルビュジエのドミノからリチャード・ロジャース、レンツオ・ピアノ、ノーマン・フォスター、とエンジニアリングが建築家の造形主義と共に空間を造った後の課題は、膨大なデジタルデータとどのように向き合うかだ。遺跡から現代建造物までを再現可能にしたデジタルデータはともかく、現代建築が内蔵するデジタルデータをどう利用するかが、今後の問題だろう。一世紀も格闘してきた過去との決別。それと反対に過去とは決別できない効果が現代の建築デジタルデータに隠れているのではないか。

17章

出遅れたフランスのモダン

装飾は悪か、ル・コルビュジエ

一九二五年にパリの万国博覧会のフランス館の展示をみたル・コルビュジエは、危機感を抱いた。彼がみた建築、インテリア、工業製品などの展示品が醜くかったからだ。理由は量産のための形と機能をもった工業製品でなければならないのに、伝統的で装飾過多なものしかなかったからだった。とはいえこの万博の主催者フランス工業省と商業省の目的は、フランスの優れた工芸品を提案し、国外からやってくる商品を警戒するための展覧会だった。

フランスの展示をみてコルビュジエが装飾を嫌ったもう一つの原因は、ドイツがフランスの競争相手だったからでもあった。一九二五年当時のドイツは敗戦国であり、排除される国家であり、パリ博覧会の直前にしか正式に招待されなかったにもかかわらず、その展示館でのドイツの先進性はあきらかだった。モダンだったのだ。

当時コルビュジエは、機械の時代にふさわしい建物だけでなく、機械時代の量産家具などインテリアの全てを備えた都市そのものも輸出できるチャンスがある、と模索していた。

一九一〇年（二三歳）ころコルビュジエは新たな建築的な言語をキュービズム絵画の中にみつけた。そこには、純粋で真っ平らな空間や質量の表現だけがあり装飾と呼べるものはなにもなかった。しかも、アドルフ・ルースは一九一二年に「装飾と罪」を『デア・シュトゥルム』誌に発表し、これがコルビュジエを装飾嫌いにした。ドイツのウエルクブントでの規格化論争についても、コルビュジエは「文化的な人間であればあるほど、装飾が少なくなる」と発言し、「装飾とは、それが心地よくするためであり、礼儀正しく、やさしく手助けをするものであり、それ以上のスリルではない。そこをまちがってはいけない」とも発言する。

彼がこの展示会場「エスプリヌーボー（Esprit nouveau）」に置いたのは、量産の家具トーネの椅子、実験用具、ガス器具だけだった。これをコルビュジエは「典型（type）」と呼んだ。

量産化に抵抗するフランス

ドイツの量産志向とは異なり、フランスはどの国よりも伝統的な装飾の優位を見せつける展示だった。理由はそれまでフランスの古典的な様式の芸術や建築がもてはやされ、洗練されたものとして世界中で評価されていたからだ。コルビュジエは、装飾を悪と見なし、大先輩であるジョン・ラスキン

(John Ruskin)、ヨーゼフ・ホフマン(Josef Hoffmann)、エクトール・ギマー(Hectur Guimard)そしてウジェーヌ・グラッセ(Eugène Grasset)さえも攻撃した。

フランスも一九世紀末には古い様式から抜け出しアールヌーボーが、一九二五年の万博開催当時にはアールデコというモダン様式を生んだ。アールデコはある程度普及したが、この新しいデザインを量産する体制がなかった。いやフランス産業が機械化にむけた体制を組めなかったのが問題だった。

工業製品のデザインは、ドイツでまず成功し、そしてソビエト連邦でも学校をつくってチャレンジをはじめたばかりだった。フランスは確実に工業製品のデザインに乗り遅れた。しかも第二次世界大戦中のヴィシー政権の時代になってもまだフランスはモダンに抵抗し続けた。というのは、工業化時代の新しい機器が生産され、普及されたところで、国民のためには海外から安い製品を輸入すればいい、と割り切っていたからだった。高価格で取引される製品こそフランスが輸出すべきもの、とだれもが信じていた。

驚くことに工業デザインという名前の学科がフランスにできたのは一九六九年だった。ところが命名は esthétique insustrielle というフランス語で。つまり、英語のインダストリアル・デザインとは微妙にちがった意味の esthétique ＝美、つまり工業美、と命名したほど、デザインとは工業への美的貢献、と言い張った。さすがに国際的な交換留学制度などの必要があって、英語の Design を使うようになったが。

もちろん、多くの工芸家や優れたエンジニアを輩出してきたフランスだから、そのための教育機関や工房は数多くあった。だがそれらは輝かしい伝統で培われた王室家具工房（ブル）、エンジニアリング専門の学校（アールゼメチエ）、そして絨毯（ゴブラン）のような徒弟制度の工房の付属教育機関でしかなかったのだ。とはいえ工業製品の量産化を目指したデザイナーがいないわけではない。一九五〇年代から工業デザイナーとしてフランスで活躍したのは、エンジニアと建築家だった。

18章

モンドリアン
―スタジオは作品

2Dから3D、「構成主義」の建築

モダンを語るのに欠かせないモンドリアンは、オランダ、アムステルダムに生まれ、パリ、ロンドン、ニューヨークと移り住んだ。痩せて栄養不足でベジタリアンだった。孤独だった、と友人達は語るが、彼のパリ、ロンドンのアトリエには多くの画家、建築家、彫刻家、そしてカメラマンやジャーナリストが訪れ、それぞれモンドリアンのスタジオでの姿に驚いている。数多いポートレイトに見えるパリ時代のインテリア、3D作品「コンポジション」に溶け込んで佇む姿に息をのむ。というのはモンドリアン自身がアートの一部だからだ。

略歴：

一九一二〜一九一四年。パリで親友テオ・ファン・ドゥースブルグと新造形主義を提案。

一九一四～一九一九年、オランダ帰国。父親の病気と大戦のため。

一九一七年、テオ・ファン・ドースブルフと『デ・ステイル（De Stijl）』を創刊。

一九一九～一九三八年、パリで代表作、水平・垂直の直線と三原色の「コンポジション」。二度目のパリで一回目と同じインテリアにした。

一九三六年、アパートの敷地が駅拡大工事のためスタジオが壊された。

一九三八～一九四〇年、ロンドン。

一九四〇～一九四四年、戦火を避けてアメリカ、ニューヨークに亡命。「ブロードウェイ・ブギウギ」制作。肺炎のため死亡。

最初のパリ

一九一二年五月、ピエト・モンドリアンはパリ、デパール通り二六番地にあるアパートのスタジオ三階に引っ越した。友人への手紙には、「君だったら解るだろうが、アムステルダムよりも家賃は高くなく素晴らしく刺激的で、こんな大都市だからこそ自分自身になれます」と書き送った。

一九一四年、モンドリアンは友人に「古代の建築こそもっともすぐれた芸術だ。水平・垂直によって調和とリズムを生んでいる」と手紙を送り、また彼が傾倒した神智学研究者・スフーンマーケルスの「原始的なものから高次なものへの進化を垂直運動、原因と結果を水平運動とし、この二つの交差が宇宙の根源である」との教えから、十字形に特別な意味があると悟った。第一次世界大戦中はオランダにもどる。

一九一八年に戦争は終わり、モンドリアンはパリに戻った。彼はアトリエの壁や家具を真っ白に塗り、あるいは壁に色を塗った厚紙を画鋲で留めた。その厚紙の位置はときどき変えたようだ。モンドリアン自身がインテリア・デザインや建築を手がけることはなかったが、アトリエでの写真は、本人が絵の中に入り込んでいる。そのように見えるのではなく、本人自身が努力して作品になっている、としか思えないほど、作品と作家に距離はない。

友人がみたモンドリアンスタジオ

アレクサンダー・カルダー

アメリカのアーティスト、アレクサンダー・カルダーが一九二七年にモンドリアンのアトリエを訪れた時の印象を次のように書き残した。

「モンドリアンのアトリエには赤・青・黄の三原色と白・黒だけを用いた幾何学的な抽象画がいくつか置かれていたが、それだけでなく壁や家具まで真白に塗り、三原色に塗った紙が白い壁のあちこちに貼ってあり、インテリアがアートとして計算し尽くされた構成になっていた」

抽象空間に圧倒されたカルダーは、モンドリアンに「この赤や青の四角がいろいろな方向に振動すれば面白いと思いませんか?」と尋ねたが、彼は同意せず「その必要はない。私の絵画では、すでに非常な速度で動いている」と答えた、という。カルダーはすぐに抽象画制作に取り掛かったが、二週間で元の針金彫刻に戻り、モンドリアンの色を使った抽象的なモチーフのモビールや絵画の制作をはじめた。とはいえモンドリアンの部屋はカルダーにとって抽象芸術を受け入れるきっかけとなった。

カメラマンが見たスタジオ

「スタジオのイーゼルの一つは描くためではなく、絵を展示するためだった。白く塗ったテーブルの上に帆布が張られていた。籐の安楽椅子も白く塗ってあったが、部屋のスタイルと不釣り合いだった。丸い鉄のストーブは、そのままでモンドリアンが手をつけていなかったのが残念だった」

緑が嫌い、白い花

「モンドリアンは女性の優雅さと魅力を象徴するために、部屋には一輪の花が飾ってあった(気をつけて、それは偽の花です)。彼は、嫌いだった緑をインテリアから追放しようと花を白く塗った。それ以来、彼のアパートを訪れる友人は誰一人として花を持ってくることはなかった」

スタジオは作品

「モンドリアンにとってスタジオは絵を描くため場所ではなく、スタジオそのものが絵の延長であり、カラーとラインが絶妙に調和し、その構図の画面の中に身をゆだねることができる最高の空間だった。モンドリアンは自身の作品の一部にすぎなかった。

モンドリアンは流暢なフランス語を話し、友人の画家であり美術評論家でもあったキッカートとシェルフハウトは彼にどんな振る舞いをすればいいかを教えた。（最初のパリで）モンドリアンは毎週月曜日にキッカートのスタジオで開く集まりに参加し、あまりにも頻繁にカフェをめぐり歩いたので友人達に笑われた。

引っ越しでモンドリアンはスタジオを徹底的に改修し、幾何学的な新造形主義のインテリアに改修した。彼はカメラマンにその写真を撮らせて雑誌に掲載し、オランダや海外で彼のスタジオは有名になった」

「デパール通りにあるピエト・モンドリアンのアパートのデザインは、それ自体が物語といってもいい。そこで絵を描くのと同じ勢いでインテリア・デザインに取り組み、色のバリエーション、家具、ラグなどが驚くほどリズミカルに、自身の絵画と調和し、スタジオは建築空間に新たな表現を与えた。インテリアは絵画と同じように称賛された。彼は毎年夏にスタジオを改修し、その度ごとにインテリアは新しい姿になった」

デ・テレグラーフ特派員が見た

『デ・テレグラーフ』（De Telegraaf）特派員W．F．A．ロエル（W. F. A. Roëll）は一九二六年に次のような記事を掲載した。

「訪問するたびに、インテリアは新しくなっているのです。以前は、作品は壁の色のままの上に吊ってあったのに、今度は壁の面全体が巨大なチェッカーボードのような絵になっていたのです。すべての壁は水平と垂直の長方形でリズミカルに分割され、薄い灰色と黒、強い赤、そして青、黄色が魔法のようにバランスを保っていました」

美術評論家チャールズ・ダーウエント著『ロンドンのモンドリアン』(Mondrian in London、二〇一二年)から、友人達が残したモンドリアンのエピソードをいくつか引用しよう。ナチから頽廃芸術と烙印をおされパリからロンドン経由でニューヨークに向かうまでの数年間滞在したロンドンでのモンドリアン物語だ。

ウィニフレッド・ニコルソンが見た

「彼のアパートには水道もエレベータもなく、あるのは静寂だけだった。彼は、木炭を水平に、そして垂直に、それらを一インチずらしながら、それぞれのキャンバスで長時間作業した。またはミリメートルの単位で線を移動し……、ようやく位置が決まっても、次に白のスペースがあり、なお色の長方形が何カ月も、あるいは何年も同じに見える状態が続き、という作業のあげくやっと作品が完成した……

彼は鮮やかな赤に塗った四角な安物の蓄音機を持っていて、ジャズ・ブルーだけを聴いていたのです。クラシックなジャズは聴かなかった」

ベン・ニコルソン夫妻と子供、そしてモンドリアンは列車でロンドンに向かった。その車中で……「素晴らしいですね」と彼（モンドリアン）はつぶやいた。「はい、そうですよね」と私（ニコルソン）は言いました。「ほら」と彼は続けた。空飛ぶ列車の窓の外を通り過ぎる物にむけて私の手が動いたとき、彼を喜ばせたのは電信柱であることに気づきました。地平線の水平を切る垂直線でした」

バーバラ・ヘップワースが見た

「ロンドンでは、ピエト・モンドリアンの作品は『絵画の終わり』であると言われていました。私たちが到着し、ドアが開くと、目をキラキラさせ、口元と表情に優しさを持った男性がいました。また、並外れた優美な動き、優美さと歓迎の仕方。私たちは彫刻家として、彼の優雅さと繊細な歓迎に魅了されました。彼は、いくつかのビスケットが入った赤と青の箱が置いてある白いテーブルの上にお茶を出してくれました。私は素晴らしいスタジオを見上げ、色と形のこの驚くべき創造的な輝きの力を自分にも取り入れ始めました」

「ベン・ニコルソンはモンドリアンがイギリスに来るのを手伝い、彼のスタジオを見つけました。それは私たちの部屋を見下ろす退屈な部屋でしたが、ピエト・モンドリアンは一週間でそれを彼のモンパルナス・スタジオに変えました。彼はカムデンタウンから安い家具を手に入れました。それを白く塗り、原色の素晴らしい正方形が壁をよじ登りました。家具は彼の絵画のキャンバスだったので

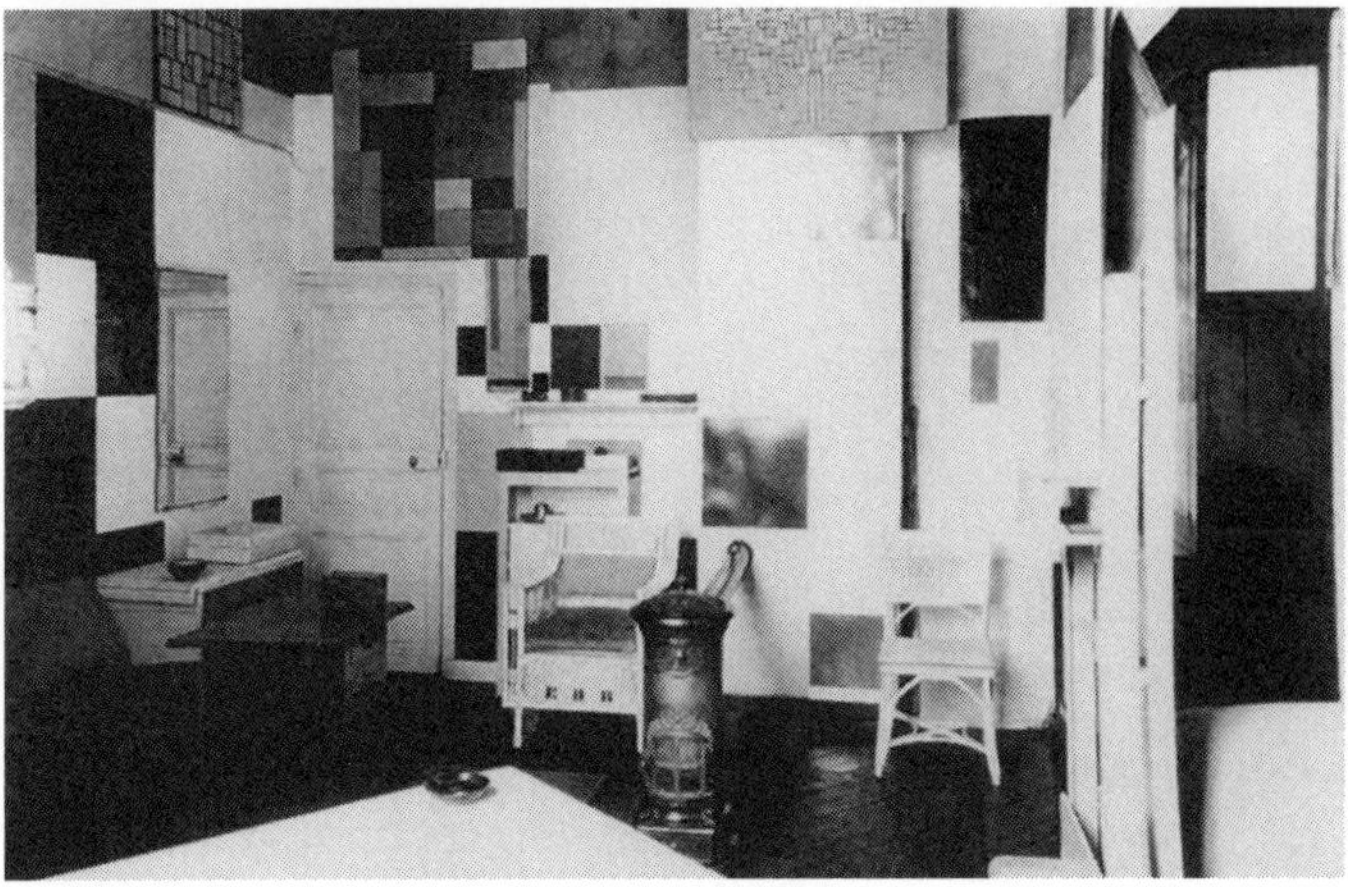

モンドリアンスタジオ。パリ、1912年頃

す」

ミリアム・ガボが見た

「モンドリアンがロンドンに到着したとき、友人たちは皆、彼のために見つけた部屋に備え付ける物を探しまわった。私たちは皆、彼を快適にしようとしました。ガボと私が彼に簡易ベッドと青い掛け布団を提供したことを覚えているようです。彼はいつもある種のダイエットをしていて、この時、彼はフランスで非常に人気のあるヘイ博士にちなんで『ザ・ヘイ・ダイエット』を食べていました。私たちはモンドリアンをからかって、ニンジンだけで生きていると言った。彼はしばしば私たちのところに昼食に来ました。私が彼が何を食べ、何を食べないかを知っていたからです」

「モンドリアンが一九三八年にイギリスに亡命を求めてハムステッドに来ました。ハムステッドには、ベン・ニコルソン、バーバラ・ヘップワースなど、パリで彼を訪ねていた友人がいたからです。私は、かつて彼の真っ白な独房に足を踏み入れたことがあり、彼がロンドンでも環境をいかに素早く複製したかを興味深く観察しました」

「三回訪問して、彼がいつも同じ絵の黒い線を描いていることに気がつき、それは線の正確な幅の問題だからか、と彼に尋ねた。彼はいいえと答えました。それは線の強度の問題であり、塗料を繰り返し塗ることで達成できるものだった。モンドリアンの絵画は主に形や空間の構成と見なされますが、モンドリアンはこれらの性質は色と切り離すことができず、彼にとって色には最高に純粋な性質があり、モンドリアンの絵画をコピーまたは『復元』しようとしても、アーティストの情熱だった完璧さを破壊するだけです」

ナウム・ガボが見た

「彼のパリのスタジオは宇宙のモンドリアンでした。白と壁に色の幾何学的形を。家具は上下を真っ直ぐに自分で制作した。私たちは繊細な白いカップでお茶を飲んでいました。

私たちは皆でアパートを探しましたが、ベン・ニコルソンが部屋を見つけました。彼はよく部屋について不平を言った。『木が多すぎる』彼は木があまり好きではありませんでした。そして、彼はオランダについて、『牛が多すぎ、牧草地が多すぎる』と不平を言っていました」

「私は、『あなたはまだそれを描いているのですか』と聞きました。というのは私はずっと前からそ

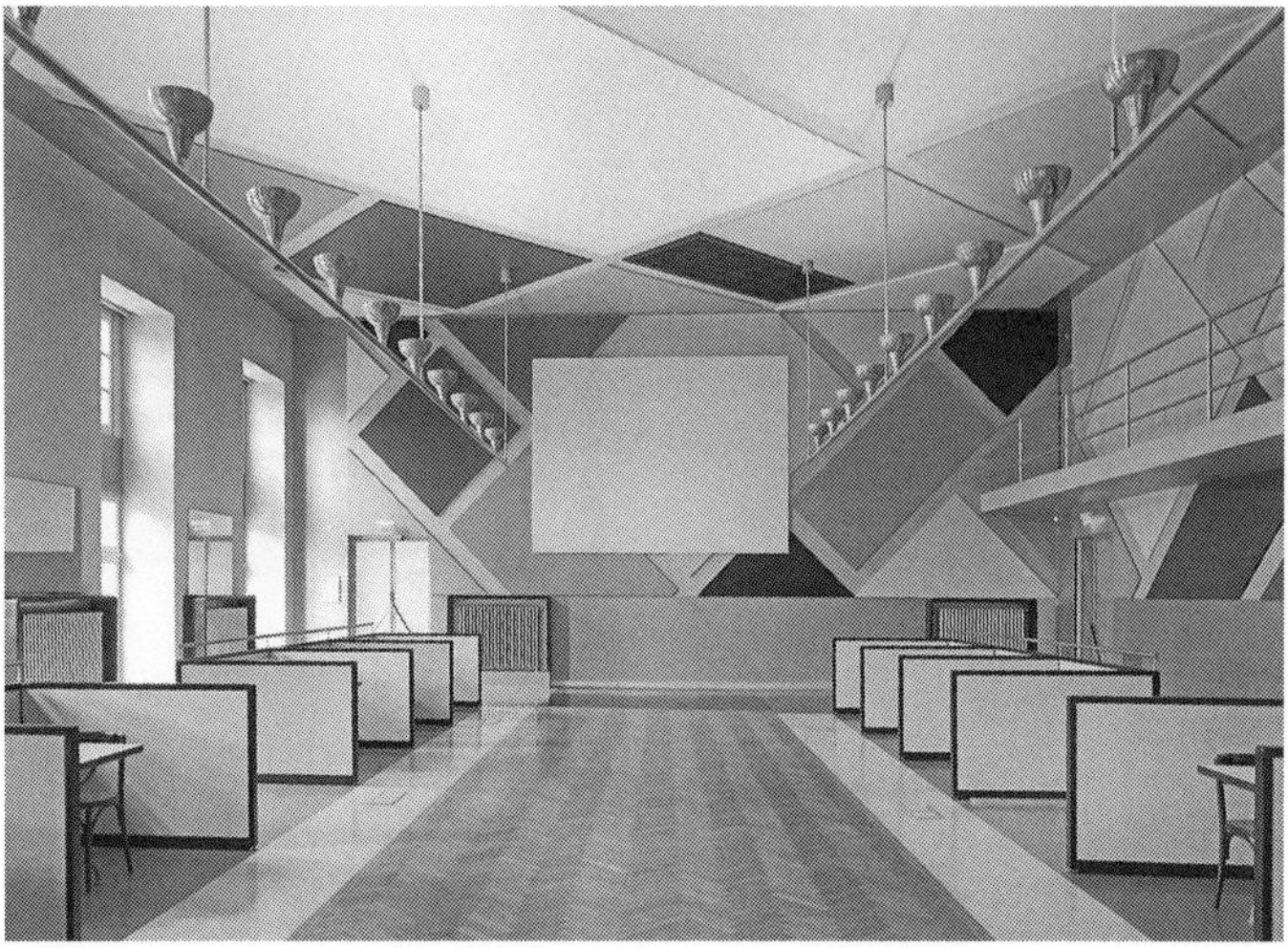

テオ・ファン・ドーエスブルグ設計のカフェ、モンドリアン画をデ・スティーユスタイルで３次元に。

の絵をみていたからです。『白は十分に平らではありません』『白にはまだスペースが多すぎると考え、色のバリエーションを否定しました』。彼の考えは非常に明確でした。彼は、絵は平らでなければならず、その色はどんなスペースも示すものであってはならないと考えていた。これが新造形主義の主要な原則でした」

「私たちがロンドンにいたとき、ベン、バーバラ、モンドリアン、セシル・スティーブンソン（彼はひどく無視されていました）など、私たちは皆で、展覧会を企画しました。メセンス（Mesens）は主要な主催者の一人で、すべてのアーティストに自分が所属する芸術の流派を聞いてきました。カタログの校正刷りが送られ、そしてモンドリアンが何というか戸惑っていたら、モンドリアンは『構成主義者』と答えました。私が彼を見ると、彼は微笑みました。彼はどうやら私に同意したのであり、私にとって勝利でした。彼の作品は構成主義の線上にあると主張していました。『新造形主義』ではなくモンドリアンは『構成主義者』と書き『私は本当に構成主義の芸術家です』と言いました」

「彼はパリでは完全に無視されていました。彼を支持し、彼の作品を購入したのは、オランダでたった一人の男性だけでした。彼は自分の面倒を見ることができなかった。彼はひどくやせていて、主にスグリと野菜のシチューを食べていたようです。彼はめったに肉に触れませんでした。朝早く彼を訪ねたとき、彼は古いコートを着ていました。私は彼が暖かいパジャマを持っていないことに気づきました。それで私は彼にウールのガウンを持って行きました。そのプレゼントを見て、モンドリアンは笑顔を見せました。それは彼が始めてみせた笑顔でした」

「また、彼はお金に無関心でした」

「彼は本当にひどく無視されていました。彼がどのように亡くなったかを知ったとき、私はぞっとしました。彼をそのように死なせたのは、ニューヨークの芸術家コミュニティ全体にとって許しがたいことでした。肺の炎症で三日間寝たきりになり、最終的に人々が彼を見つけたときには手遅れでし

ヘリット・リートフェルド制作の赤と青の椅子。モンドリアンの絵を３次元に

た」

「新造形主義」ではなく「構成主義」とモンドリアンがサインしたカタログのエピソードは、ロシア構成主義の命名者であったナウム・ガボにとって至福の瞬間だったにちがいない。

平面の絵画が立体に、空間へと成長するパリのスタジオの現場が、具体的に建築空間にまで結実したアートの完成形を互いに確認しあった瞬間でもあったにちがいない。ロシア構成主義者、タトリン、ナウム・ガボ、ペヴスナー、リシツキーなども同様に二次元から三次元にと表現の多層化を思考していた。モンドリアンもその一人だった。モンドリアン風を建築空間にしたリートフェルド、喫茶店のインテリアを構成したドーエスブルグ、バルセロナ館の展示レイアウトにモンドリアンのデッサンを下敷きにした、ミースなども次元の多層化をモンドリアンを通して実現している。なかには四次元への試みもあった。抽象の極限にまでたどり着いた絵画が、そこからまた一歩先に、と実験を重ねた時だった。

二〇一四年の「モンドリアン劇場」
——パリのアパートの再現。あなたもモンドリアンになる

「モンドリアンの思想がどのようにアトリエで表現されていたか、といえば、色は単色だけ、床にモザイク形の平らな単色のモケット。鉄の小机、鉄のストーブがある空間は角と平面だけでできてい

モンドリアンのパリアパート、作品の一部となった作家

る。モンドリアンにとってこのアトリエは工房であり、なおステージだった。パリのアパートは彼自身と友人のためのモンドリアン劇場だった」とカタログで解説するのは、モンドリアンのアトリエを二〇一四年に再現し蘇えらせた、生誕七〇年を記念したテート・リバプール・ギャラリー（一八九〇年代の港の倉庫）だった。

垂直と水平でできた格子文様の一部で、幸せそうな姿を撮影した一瞬のモンドリアンと同じポーズで、同じ場所で、見学者もモンドリアンになれる、企画だった。抽象絵画を展示するだけではなく、作品に立ち入って建築との関係を体感する企画だった。

モンドリアンは建築の「新しいデザイン」に哲学的で美的な配慮をしようとした。パリに戻ったばかりの一九二〇年、アパートの改装に「人格の内部にあるものにあったデザインを室内にしなければならない。それは食品や飲み物と同じだ。美的な要素というのはその人格の素材にも相当するものだからだ」と語った。

体の中に入るもの、食品もインテリアの要素とおなじでなければならないと、赤い果実のスグリ、緑の野菜スープ、ニンジンを食べ、聴く音楽はジャズ・ブルー。服装はといえば、友人の評価は貧しくて暖かな衣装はもっていなかったとあるが、肖像写真を見る限り、全てスーツ姿。これこそ無装飾だからモダンと、言いきったアドルフ・ロースの表明を踏襲している。

絵画はもちろん、住居も、食べ物も、衣服もモダンで武装したモンドリアンだった。

19章

装飾ナシの素材へ

モダンは反パンデミックから

一九世紀のヨーロッパは四度にわたってコレラが、そして結核が猛威をふるい、一九一八年に始まったスペイン風邪は、世界の人口の約三割にあたる五億人が感染した。その伝染病が一九二〇年代のモダン建築に影響を与えずにはおかなかった。住宅にも新建材としての鉄とガラス、なかでもガラスへの期待は大きかった。一八五〇年のロンドン万博で世界が驚いたクリスタルパレスのガラスが、板ガラスとして量産できるようになり、普及し始めたのが一九一〇年代だったのだ。

ガラスの透明性は、室内と外との壁を取り去り、内部にいながら外の自然を取り込む、という永遠のバカンス気分に誘う効果も魅力だったが、それだけではなく、透明なガラスごしに日光がはいり、ガラス窓をあければ空気の入れ換えができた。結核患者の治療をするサナトリウムは、太陽光が健康に良い、空気の循環は伝染病を防ぐ、という当時の健康思想を具体的に実現する治療を形にした建築だった。

伝統的な住宅を好む保守層が多い時代だったが、大戦後のドイツの建築家達は、ビスマルク時代の強権的な体制に不満をつのらせ、歴史否定の立場をとった。それゆえ石やレンガではなく、鉄やガラスで建築を表現することがドイツ帝国体制と伝統を否定することにつながると信じた。

グロピウスは「古い形態は崩壊した。感覚を失った世界は目覚めつつある。古い人間精神はその力をうしない、新しい形態へと向かって流動している」と語る。タウトはもっと激しい。「われわれの伝統概念、スペース、ホームランド、スタイル、こんな憎むべき概念はくたばってしまえ。粉砕せよ。何も残すな、おまえ達の学園を壊してしまえ。時代遅れの連中を吐き出してしまえ。――くたばれ、くたばれ、われわれの北風にこのカビ臭い、すり切れたボロボロの世界を吹き抜けさせよ！」と叫んだ。古い形を吹き飛ばす力になるガラスを、まずサナトリウムに応用したのは、若い建築家だった。

富裕層の家屋は太い木材、クッションがついた家具、毛足の長いカーペット、厚いドレープのカーテン、そして壁と棚を飾った無数の装飾品、窓は小さく光や空気がはいらず、木製家具の装飾彫刻にはホコリがたまった。だから清潔にできるインテリアが必要ということになる。

サナトリウムはモダン

モダン・デザイン建築は、直線、白、平面、ガラス窓、屋内外が連続するリビングルーム、などが

アアルト設計のサナトリウム、パイミオ。1933

特徴だが、このモダンが選択した形と素材はサナトリウムと同じだ。

木製家具から装飾が消え、椅子の素材はステンレスと布と革で脚廻りに箒がはいり、床の掃除が簡単になる。一九二八年のシャルロット・ペリアンの長イスもまた豪華客船のデッキでくつろぐ木製の椅子（トランザット）をヒントに、構造を金属パイプに変えてバルコニーで日光浴するイスにした。

アルヴァ・アアルトはといえば、直線、白、バルコニー、広いガラス窓から景色や光と空気を取り入れる「パイミオのサナトリウム」を一九三三年に設計し、積層の木材で寝椅子、アームチェア「パイミオ」となった。とはいえ、一日に七時間〜一〇時間、たとえ雨の日も風の日も、雪の日も、ベランダで患者をベッドかリクライニングチェアに移して、新鮮な空気を吸うのが二〇世紀初めの治療だった。

『魔の山』とサナトリウム

トーマス・マンの小説『魔の山』は一九一二年に妻が肺結核でスイスのダボスの療養所に入院したのが小説を書くきっかけだった。標高一五〇〇mのダボスは、一九二〇年から一九三〇年にかけて二〇ものサナトリウムがあった。『魔の山』フィッシャー社出版のペーパーブック、ドイツ語版二冊の表紙を並べれば当時の巨大なサナトリウムが見える。三〇室ほどのガラスの窓が横一列に並ぶ。サナトリウムが、モダン建築を導いたのではないか、と思わせる（コルビュジエのモダン・デザインの五原則は一九二七年）。

サナトリウムのテラス

バルコニーから自然をながめるという流行は、客船から病院に移ったが、ウィーンのホフマンもまた、バルコニー、ルーフテラス付き、陸屋根のサナトリウム（ブルカースドルフ）を一九〇四年に設計した。リクライニングの長イスが数多くデザインされたのは医学的な利用から陸屋根になったモダンな住宅の屋根に好都合だった。

パスツールと健康の色――白

サナトリウムを設計したのは二〇世紀初めのモダンを思考する建築家達だった。壁の外も内側も漆喰の白で彩った。この石灰でできている白い漆喰がバクテリアを退散させることができる、と一七世紀のコレラの大流行がきっかけで家屋を白く塗った地方さえあった。すでに白は健康色だった。サナトリウムに白が選ばれたもう一つの理由は、白は太陽の光線を反射し、結核菌を殺す（紫外線）効果が期待されたからだ。

一九世紀末にフランスの細菌学者パスツールが、光線は細菌が繁殖するのを防ぐという学説を立てた。つまりここで白という光を有効に反射する色は健康に必須の色になった。その時代にとって重大な問題だった伝染病、肺結核専用の病院、サナトリウムは太陽光線に恵まれる山岳地帯に、雲より上にあるべきだった。しかも窓は南向きで大きくなければ効果がなかった。細菌、光線、白、南向き、と健康への配慮は建築の細部にまで及んだ。とはいえ、ガラスが円筒形から量産できる板状になったのが一九一〇年代だったから、『魔の山』のサナトリウムは裕福な階級の建築だった。

リノリウム――鉄ガラス、白の次に

もう一つ健康に欠かせないモダンな素材ができた。それはリノリウム。亜麻仁油、ジュートなどの植物繊維に、ロジン・木粉・石灰石・コルク粉などを混ぜて麻の布地に塗り、板状に加工したシートだ。弾力性があり、継ぎ目なく広い面積にでき、掃除しやすい、という清潔な素材でありながら、抗ウイルス性、ある種の細菌に対する抗菌性、そして脱臭効果もあり、医療機関や教育施設の床材に使われた。一九世紀末のイギリス原産だったが、一九一九年にはすでに日本で国産化されている。このリノリウムは言うまでもなくアアルト設計の「バイミオ」サナトリウムの床、壁などに使われた。窓からドレープカーテンをはずし、明るい光、そして明るい色のなめらかな床材、リノリウムが病院で活躍した。

モダンを試みる建築の目的は、まず健康、だから光と風と窓と掃除しやすい家具、そして白と屋上庭園、と進む。コルビュジエのピロティーもまた湿気をきらい地上階には住まないヨーロッパ人の慣習をそのままに、柱で住空間を持ち上げた。

都市では湿気があり暗い地上階は、アパートの管理人、商店、工房、最近は事務所に使い、健康を害するから決して寝泊まりする空間ではない。しかも伝統的な家屋では光線を室内にいれることを良しとしない。理由は木質の家具が光線で痛むからだ。だから光にあふれても家具が痛まないためには、ガラス板、金属の板、金属パイプがモダンな家具に推薦されたのは当然だった。

ル・コルビュジエやアアルトの建築は、無装飾＝機能＝モダンという理想が最初にあったのではなく、サナトリウムの建築にヒントを得たのかもしれない。太陽、空気、テラス、屋上庭園、掃除しやすい衛生的な金属家具や機器をそろえて。

病気と清潔に関心があったル・コルビュジエは、一九二九年のサボア邸の玄関の横に手洗い用の陶磁器の洗面台を置いている。洗面所や浴室に洗面台がある姿とは異なり、洗面台が独立して玄関で客を迎えるという、奇妙な風景を作りながらも、コルビュジエらしい積極的な清潔デザインだろう。

20章 「ヴァイセンホーフ・ジードルング」へ

モダンは建築から

15章で紹介した、ドイツ、ダルムシュタットのマチルダの丘にできた芸術家村（一八八九）は、オルブリッヒという建築家と多くの工芸家が集まり、第一次世界大戦がはじまる一九一四年までの一四年間に四回の展示会でヘッセン州の産業振興を計った。この住宅と工芸品の展示のために工芸家、建築家、工場主、そして世界中からきた見学者、その交流はモダンな生活への誘いともなった。

そしてドイツでのモダンへの誘いに決定的な役割を果たしたのは、ドイツウエルクブンドが一九二七年に開催した「ヴァイセンホーフ・ジードルング」だった。だがその前哨戦として一九二四年の「Die Form」展サブタイトルに「装飾のない形」、も衝撃をもって迎えられた。展示会を見たシュトゥットガルト市民は、あまりの光景に驚き笑った。展示品は工芸品と量産品そして住宅だった。機械時代だからそれにふさわしく、と建築家達は量産のプレハブ住宅を展示し市民はそれに驚き、展示のインテリアの家具もまた装飾のないものばかりだった。別のブースで「新建築の国際計画」展があり、ミースと協力者達はモダン建築をモデルや図面、スケッチにして展示した。招待作家はオーストリアのヨーゼフ・フランク、ベルギーのビクター・ブルジョワ、ドイツのハンス・シャロウン、ペーター・ベーレンス、ブルーノ・タウト、スイスのピエール・ジャンヌレ（ル・コルビュジエ）などだった。ミース・ファン・デルローエはこの展示のために片持ちのスチールパイプ椅子を作った。

　参加メンバーの顔ぶれからもわかるように、すでにこの時点で未来のモダン住宅、未来の生活様式の方針が決まった。ミースはここで三年後一九二七年のヴァイセンホーフ・ジードルング住宅展の企画を思いついた、という。

「装飾のない形」展の建築が、専門家の間では大成功を収め、マンハイム、フランクフルト、ウルム、チューリヒなどの都市を巡回する。この展覧会こそ工作連盟創立以来の新たな方向性を打ち出し、ここにバウハウスが初めて参加して注目を浴びた記念すべき展覧会となった。ドイツ国内のみならず、パリ（一九二五年、一九三〇年）、モンツァ（一九二五年）、ストックホルム（一九三五年）、など国外に積極的に進出した。一九三〇年のパリ装飾芸術協会主催展示会

ペーター・ベーレンスのテラスハウス

のドイツ館で、バウハウスの量産工業製品がグロピウスの指揮で、インテリア・デザインとなって展示され、ドイツウエルクブンドのカタログ一九三〇年版に収録された。

「ヴァイセンホーフ・ジードルング」とは、ドイツ、シュトゥットガルト郊外のヴァイセンホーフで、一九二七年（昭和二年）にできたドイツ工作連盟が主催した実験住宅群の展覧会だった。ミース・ファン・デル・ローエの指揮で、戸建住宅、二戸建て、連棟住宅、中層集合住宅、など二一棟六三戸のモデル住宅が並んだ。インテリアは建物の設計ではない建築家やデザイナー五五人で、「技術と産業の館」と、パネルと模型の「新しい建築芸術の設計・模型国際展」などの展示もあった。

グロピウスの最小限の家

　出展された住宅は、コンクリートとガラスでできた陸屋根の立方体、水平連続窓、装飾のない白い、あるいはパステルトーンの色で、後に「アメリカでインターナショナル・スタイル」と呼ばれることになる。ミースの計画で丘にそって並んだ白い、とはいえ白にちかいブルーやピンクもあるが、四角で陸屋根の、傾斜した土地に並んだガラス窓が輝く住宅が造る景観こそ、住宅のモダンから景観のモダンに、と一歩、都市そのものをモダンに作り替えた。
　ドイツウエルクブンドとは前衛的な芸術運動の拠点でも、芸術運動の支援機関でもなく、社会と文化と芸術の関係を問い直す活動のエリート集団だった。彼らの内部で一九一四年のケルン博覧会のとき「規格化・合理化」対「自由・芸術活動」の論争が起き、「自由・芸術活動」が勝つというデザインの歴史にとって事件ともいえる事が起こっている。ムテジウスとアンリ・ヴァン・デ・ヴェルデの論争だった。皮肉にも芸術活動が勝ったが、グロピウスが意見を変え、規格化を推進し、ドイツ工業の成熟に寄与することになる。

批判の嵐——フラットルーフのモダンな丘

「フラット・ルーフのキューブが水平状の段丘に連続して群がる様は、シュトゥットガルトというより、エルサレムの田舎のようだ」あるいは「イタリアの丘のヴィレッジを想起させる。住宅への問いかけに対する回答、合理化とは言えない」という批判が建築家から起こり、記事は大反響を巻き起こした。また、シュトゥットガルトではほとんど無名だったミースが工作連盟展監督に起用されたのは、専門家としての資格にかける、と批判をあびた。

例えばこのプロジェクトに招待されなかったポール・ボナーツ教授はその恨みを、「納税者のお金の無駄使い……、超高層ビルのドローイングを描く以外、何も知らない男（ミース）から指示されているのは、アマチュアリズム以外の何ものでもない、という確信を持った時、また、プランが非現実的手法で実行されるという印象を持った時、私は当時工科大学の指導者だったが、全力でこれに反抗

ウァイセンホーフ・ジードルング

アラブ人ラクダなどのコラージュで、白い平屋根の住宅群をナチに非難されたポスター

ミース・ファン・デル・ローエ、集合住宅

し戦うことが義務と考えたのである」と後にシュトゥットガルト「Die Form」展のできごとを回想している。

一九一七年の社会主義国ソビエト・ロシアの誕生はヨーロッパの若い芸術家たちに、明るい未来へ向かう社会への夢、社会主義への期待をいだき、一九二〇年代に彼らは新しい芸術と建築をめざした。しかし当時の現実はといえば、ドイツで好まれていた家屋は、伝統的で、モダンな建築は中流階級の住むものではなかった。モダンといえオフィス、病院、工場などで、住宅なら労働者階級の集合住宅だけだった。ヴァイセンホーフ展覧会終了後の入居者に、展示に使ったバウハウス調の家具購入を打診したが、ゆとりある人々ですらこのモダン家具を選ばなかった。理念の理解は別としても実際には行動が追いついてはいなかったのだ。とはいえ、このヴァイセンホーフ・ジードルングがきっかけとなり、エリート層を含む市民がモダン・デザイン住宅に対する新たな理解が始まったのは確かだった。

陸屋根の白い家、オストゥーニ

オストゥーニ（Ostuni）は、南イタリア、プーリア州、丘の上にたつ白い街だ。ギリシャ語で新しい街を意味するのはたしかだが、多民族の抗争が繰り返されたこの土地の建造物は破壊と再建をくりかえし、街の起源を確定するのは難しい。プーリア州の土地には石灰の地層があり、昔から石灰を砕いてセメントのようにして壁に塗るのがこの地方独特の家屋の外装だった。

一七世紀のペストの流行でこの地域全体の死者数も膨大だった。感染者がでた家屋はすべて石灰でできた白い塗料で塗るように、と指示が出た。白く塗った家屋の周辺では感染者が少なくなり、これこそ奇跡にちがいないと評判がひろがった。白い塗料になった石灰（炭酸カルシウム）に抗菌作用があったのが感染者減少につながったようだ。

今でもオストゥーニでは年二回の塗り替えが義務になっているが、これは感染防止のためではなくイタリア半島をブーツに例えればヒールの付け根、「チタビアンカ」と呼ばる名所となった観光資源を保存するためだ、という。

プーリア州の石灰地層のおかげで、昔から石灰を砕いてセメントのようにして壁に塗っていた理由は、地中海気候の暑さをさけるには、光線を反射する白が適していたからだ。白の外壁は内部を冷やす機能もあった。その白が偶然感染抑止につながった。近くにあるアルベルベッロのような白壁の街は多いが、なぜかこのオストゥーニのように陸屋根が広がる村は数少ない。

シュトゥットガルトの工科大学の教授達から「イタリアの丘のヴィレッジを想起させる」、と激しく攻撃されたイタリアの丘の村とはオストゥーニのことだった。

一九三三年、ナチのプロパガンダとして使用されたシュトゥットガルト展ポスターの写真に、アラブ人、ラクダ、サル、ヤシの木などを全面にコラージュして、モダンな平屋根の白い住宅を「セム族」あるいは「ボルシェビキ」建築と呼び、ドイツには不適切とあざけった。にもかかわらず戦争中、ナチはモダンな家を借りて、屋上テラスで飲食を楽しんだ、という。

モダンは命の恩人

シュトゥットガルトの「装飾のない形」展にかかわった建築家の多くにとって、展覧会に参加したことが彼らの命を救ったのは奇跡にも近い出来事だった。それは、ナチスの迫害から逃れるために多くの建築家がアメリカに亡命し、その時すでにシュトゥットガルトの展示はアメリカに報道され、評判は高かった。

だからアメリカに逃れた建築家達は両手を広げて歓迎され、仕事に不自由しなかった、という。雑誌の出版というメディアがはるか数千キロメートルも離れたアメリカで来るべき時代を予告する建築を広く広報していた。

装飾を排せなかった「装飾のない形」展

若者に希望を抱かせたロシア革命七年後のシュトゥットガルトの「装飾のない形」展では、肯定的な記事も否定的な記事もあり、地元の住人には困ったものだ、と思われたが、その反対に展覧会は、ヨーロッパの都市を巡回した。

この展覧会で、ウィーンの芸術家ヨーゼフ・ホフマンは自転車のハンドルにヒントを得て曲げた金属を足にして机の下が透けて見える丸いガラステーブルをデザインし、マルセル・ブロイヤーは金属パイプ椅子など、モダニストは新しい素材（ガラス、金属、伸縮するキャンバス）で家具をデザインしている。とはいえ、彼らは装飾を完全に諦めたわけではなかった。機能的な美しさや美しいラインと滑らかな表面はそのままにして、装飾の一部が残った。

それは空間には家具を置き、その家具に色彩を施したことだ。その時家具はそれ自体が装飾的な要素となる。いや、家具そのものが装飾になったのだ。コルビュジエがこよなく愛した空間をみれば、必ずしも装飾なしのミニマリストの建築だった、とは言いきれない。

何が装飾か、色は装飾か

一九二五年のパリ万博「エスプリ・ヌーボー館」に置いたミヒャエル・トーネットのアームチェア

209をコルビュジエは「これさえあれば他に何もいらない」と木材の豊かなカーブと付き合う。コルビュジエの「これ」とは椅子、つまり壁から浮き出た装飾のことだった。そしてその直後からコルビュジエは建築にリズミカルな色の配置をはじめた。

一九三〇年、コルビュジエはパリのデパール通りにあるモンドリアンのアトリエを訪れた。彼がインテリアに色を使い始めたのはそれからまもなくだった。一九三一年にはカラーパレット三六色をつくり、色の組み合わせのルールを提案し、サボア邸は一九三一年に竣工した。「建築の色彩は平面や断面とおなじくらいもしくはそれ以上の重要な構成要素である」と宣言する。コルビュジエにとって色彩とは空間を分割するためにあった。とはいえ、サボア邸の外側、車寄せにつかった青い曲面の壁、寝室の壁のばら色、リビングの淡いピンク、薄い茶色、などは具体的な装飾文様はないが、その色彩の役割は伝統的なカーテンにかわる装飾にちかい存在だ。白の次に、モンドリアンのスタジオ訪問をきっかけに、色彩の組み合わせのパレットをつくり、一九四五年のマルセイユのユニテ・ダビタシオンでは、赤、黄、青そしてモデュロールの展示、屋上の白黒薄茶のタイルモザイクなど、色と具象的な形を装飾に採用した。

ヘリット・リートフェルドは一九二〇年代の椅子に赤と青で、一九五二年にペリアンはパリ国際学生都市のメキシコ館の間仕切り兼書棚に、一九五〇年にチャールズ・イームスはEDU机で、それぞれ色彩を家具に乗せた。

装飾がない、機能主義のデザイン、というモダン・デザインの条件はそのまま無装飾ということで

コルビュジェ、シトロアン邸

はなかった。モダンの頂点に立つ、白を強調したモダンの騎手コルビュジエでさえ、白のうえに色彩を、いや彼自身の絵画を壁にのせて、こよなく愛した曲げ木のトーネの椅子を置いて、インテリアを完成させている。つまり、植物や動物の彫刻こそなかったが、外装と内部のインテリアには色彩と風通しのいい清潔な家具、という装飾を必要とした。

21章 ウエルクブンド・シュトゥットガルトの丘

三巨匠のそろい踏み

ドイツのシュトゥットガルトの丘で小規模だったが都市計画をしたのはミース・ファン・デル・ローエだった。ミースの計画は、丘の高みにむかって住宅やアパートを配置し、全てをモダン建築で構成した。たった一つの場所で、ほとんど同じスタイルで、多くの建築家が集合住宅をつくった。それらは平屋根、インテリア空間の仕切りがなく、外と内側の差もなく、四角で、立方体で、外観も内側も白で（住宅の全ての部分が白ではなく、淡いピンク、ブルーもあった）、空間は連続し、なおそれは内側から外へと向かう、というのがミースが指示した設計の基本路線だった。

展示用の住宅が展覧会後レンタルされるという条件があり、施工は、計画、許可、設計、工事完成までに七・五カ月しかなく、工賃は跳ね上がり、安い住宅も安い家具もできなかった。斜面の低層のアパートの両端にコルビュジエとミースの作品を置こうと企画したのはミースだった。

小さなアパートが並ぶ丘はまるでイスラエルの村のようだと嫌われたり、異論があったが、その批判も取り込んだ全体はハイブリッドな解決策だった。

この計画のための建築家の人選には混乱があり、ル・コルビュジエでさえミースの懇願でやっと参加できた一人だった。とはいえ、シュトゥットガルト展に選ばれた建築家の名簿を見ればどれだけ展示会がモダン建築に寄与したかがわかる。

二〇世紀のモダンを代表するグロピウス、ローエ、コルビュジエ、この三人の名前があるだけでも、彼らが同じ建築工事現場にいたという、他ではありえないことが起こっていた。逆にウエルクブンドに魅力がなかったら、こんなことはあえりえなかっただろう。

ナチの批判

ヨーロッパの植民地支配もまたモダン建築と深くかかわる。アフリカの住宅の陸屋根はヨーロッパ人にとっての発見だった。土の日干しレンガの家に平らな屋根があり、屋上を農作物の干し場に使っている。ヨーロッパは土でできた四角な住宅を、植民地だったアフリカで発見した。ナチは、ウエルクブンドの住宅展示展のポスターに、ヤシの木とラクダとイスラム教徒をコラージュして、モダンを揶揄した。住宅展示のモダン、白、ガラス、鉄、陸屋根、屋上庭園、という一連の構造は、一九二〇年代に称賛されはしたが、さげすみ、揶揄を同時にひきうけた。なんだアフリカの未開の地の住宅じゃないかと。

だが、この住宅展で公開された風景こそ、健康をめざすモダン住宅の典型であり、一九二七年のシュトゥットガルトの家並みこそ、現代にまで及んだ四角な都市景観を先駆けた試みにちがいない。

国際様式（インターナショナル・スタイル）と命名したジョンソンの祝辞

一九六一年、ミースの七五歳記念誕生会でのこと、フィリップ・ジョンソン（ＭＯＭＡのキュレーター、ガラスの家の建築家、ＭＯＭＡの展覧会カタログでインターナショナル様式の命名者）は、ユーモアたっぷりにミースとウエルクブンドについて語っている。「一九二七年に皆さんに勢ぞろいしていただき、働いていただき、似た建物を建てていただき、おかげで国際的なスタイル（INTER NATIONAL STYLE）ができました……今もしも皆さんがシュトゥットガルトに旅をなさっても魅惑されるでしょう。なんと素晴らしい仕事、一世代前の仕事は偉業だったことがわかるでしょう。あなた方のお仕事が、です」と。

もう一つフランクフルトのエルンスト・マイ（Ernst May）のプレハブ・システムの労働者向けモダン住宅建築も成功した。マイは一九一〇年代から低価格の住宅建設にかかわり、このニュー・フランクフルト・プログラムは世界的評価を得た。バウハウスが教育的な目的で実験的に新しい建築を提案したのに比べ、ニュー・フランルフルトではじめて大量にプレハブ住宅が現実に建築され、この展示で評判だったのはシステムキッチンだった。

22章 空間のモダン

内から外へ、外から内へ

一九二五年時代に活躍した理論や手法のちがう建築家達は、バウハウスとその出版物、建築雑誌などで、実際に顔を合わせる前から互いに知りあっていた。一九二三年のデッサウでのバウハウスの祭りは、ある意味で国際的なモダンな建築の宣伝の場だった。モダンという建築の理論がはじめて共通に語り合える運動となった。いやモダンという手法と思想が、バウハウスの祭りで個人的なものを越えて共通の認識につながった。

だったらモダン建築とは何かを問わなければならない。それは鉄とガラス、直線を基本とする形もそうだが、その裏に、直線から生まれる空間（スペース）があった。新しい空間の認識こそ時代を画するものだった。それはオープンなスペース、閉じることがないシェルターとしてのスペースだ。内側から外へ、外側から内へ、と互いに入れ替わるスペースがあることこそモダンが提案した画期的な方式であり思想だった。シュトゥットガルト展の住宅がそれを実際に使った住宅にしてみせた。

空間のモダンは日本から

ル・コルビュジエの出入り自由、ドアなし、の空間は日本の鳳凰堂が発想の原点にあった。それはフランク・ロイド・ライトがドイツ語で出版した作品集が目に留まったからだ。

フランク・ロイド・ライトは、一九〇九年秋から一九一〇秋までにプレイリースタイル（草原スタイル）と名付けたスケッチと図面を中心に、アメリカから弟子と息子をベルリンに呼び寄せて、作品の全てを描き直した。一〇〇枚の図面を四二×六五cmという横長大判のリトグラフにしたポートフォリオ二冊を『フランク・ロイド・ライトの作品の図面とスケッチ』（Ausgeführte Bauten und Entwürfe von Frank Lioyd Wright）と題して、ベルリンのヴァスムート社（Ernst Wasmuth）から出版した。

これはライトにとって最初の出版だった。愛の逃避行中だった、とはいえ旅の目的の大半は作品集出版であり、ヨーロッパの伝統的な建築を見る時間にくらべれば、持ち込んだ資料の再編集についやした時間のほうが多かったようだ。アメリカ本国のために五〇〇部を確保したが、それは帰国後のタリアセン火災で全てが焼失した。

ヨーロッパからもライト事務所を目指してアメリカに渡った若者さえいたほどの人気だったのは、建築の内部にある壁を取り払い、内と外を融合させ、流れるような空間を造り出したからだった。

その原点はライトが一八九三年シカゴ博覧会で日本政府が出品した日本館、鳳凰堂のレイアウトに興味をもち、まずシカゴの住宅で「プレーリースタイル（草原スタイル）」で試した。

つまり、日本の住宅の壁が自然の脅威から人間を守るのと同時に、その壁が自然を生活の内部に取り入れ、人間と自然との共存ができる空間構成だと理解したからだ。

出版の一九一〇年には、まさにモダン建築の三大巨匠といわれる、グロピウス、ミース、ル・コルビュジエがベルリンにあるベーレンスの事務所で見習工をして働いていた。コルビュジエはこのポートフォリオを、同僚の若き建築家と分けあった、という。ベルリンの事務所にこのポートフォリオが到着した日は、作業はすべて止まった、らしい。それほど衝撃的な作品だったのだ。ベーレンスはおそらく出版から数日あるいは数週間以内には手にいれていたはずだ。

グロピウスの事務所で「ハウス・バイブル（住宅に関する聖書）」と呼ばれ、ミース・ファン・デル・ローエは「これはわれわれにとってある種の啓示だった」と評し、その結果、モダン建築の代表といわれるグロピウスのバウハウスのデッサウ校舎（一九二六年）、マイスター宿舎、さらにミースのバルセロナ・パビリオン（一九二九年）が生まれる。

日本の住宅に慣れ親しんできたわれわれにとってさほど新鮮ではないが、邸宅を貫く廊下の左右のドアの向こうに箱形の空間が連なることが普通だったヨーロッパの建築構造にとっては驚きのレイアウトだったことは確かだ。いみじくも、「箱形という定食」に別れを告げた、という表現は当時の若き建築家が伝統的な様式に捧げた惜別のことばだった。

さらに、ライトがなぜドイツ語圏であるベルリンを選んで、英語ではなくドイツ語で『ポートフォリオ』を出版したのかを推測すれば、当時建築にかかわるドイツ語の情報が圧倒的に多く、英語やフランス語では出版の効果が少ないと判断したからにちがいない。まさにそれは正解だった。ドイツ語が読めるドイツやオランダの若くて前衛的な建築家達（グロピウス、ミースなど）を鼓舞し、彼らがやがてバウハウスを創設し、バウハウスのたゆまない広告出版のおかげで、世界に出入り自由のモダンな空間はひろがり、昭和初期の日本に里帰りした。

この滞在でライトはヨーロッパから何を学んだかと聞かれ、返事は否定的だった。だがライトはセセッション（ウィーン分離派）の表現に興味を示し、数年後にはデ・ステーユがライトの影響を受けている。と言うことは一方的にヨーロッパのモダン建築がライトの影響を受けただけではなく、ライトもまたヨーロッパのモダンを参考にし、互いの交流はあった。

第三のモダンとエピソード

シュトゥットガルト展を契機に近代建築国際会議（ＣＩＡＭ）がフランクフルトで一九二九年に発足した。これこそゴシック、バロック、ロマネスクの長い装飾様式の後で、機械時代のスタイル、社会主義的な建築で、世界の都市に変革を用意した。

ル・コルビュジエに洗脳され、機能的モダンを従順につくりつづけた建築家の作業は一九七〇年代まで続いた。その作業は第二次世界大戦後の荒廃したヨーロッパの都市をモダンに変えたが、画一的でどこも同じ風景が生まれた。そのコルビュジエの呪縛から、解き放たれるのは一九七七年のパリ・「ポンピドー文化センター」と「セインズベリー・センター・フォー・ヴィジュアルアート」の開館の時だった。

ノーマン・フォスターが一九七四〜一九七六年にかけて設計し七八年に開館したイギリスのセインズベリー・センター・フォー・ヴィジュアルアート（Sainsbury Centre for Visual Arts）は、単純で、フレキシブルな囲いだが、空間は必要に応じて、外側にも内側にも延長できる伸縮自在な設計は、建築家とエンジニアの境界が全く見えない構造を目に見えるものにした。

イギリスのリチャード・ロジャースとイタリアのレンゾ・ピアノのユニットが提案したパリの「ポンピドー・文化センター」（Centre national d'art et de culture Georges Pompidou）もまた、建築家がエンジニアを目指し、エンジニアが建築を目指したのではないか、といってもいい構造だ。それはフレキシブルで、金属のテンションとコンプレッションを見事に使いこなしたジョイントを使って、かつての橋梁の構成を現代の空間に応用した構造体だ。この二つの専門分野、エンジニアと建築家が同じ基盤で互角に作業し、互いに刺激しあうことができた、というのは、その作業の目標が創造的だったからだった。

この一九七〇年代後半の建築を「ハイテク建築」と呼び、それまで隠してきた、空調や給排水のような部品を表面、いや外側にだし、科学技術的な外観が建築の美を創り出した、といわれる。丸か、三角か、四角か、などといった形の構成にこだわることのない第三のモダンハイテク建築は、フォスターの手法のように、単純な囲いで、外側にも内側にも伸縮自在でどんなデザインでも可能にする空間、という共通の新たな目的をもち、知性とアイディアとロジック、そして情緒的ではない美しさへの直感が新たな空間を生んだ。

第一のモダン、一八五一年のクリスタル・パレスはローマのサンピエール寺院の四倍もある空間を六カ月という驚異的な短期間でつくり、ガラスと鉄のモダン建築のきっかけとなり、第二のモダン、一九二〇年代に鉄とガラスと白と幾何学形の第二のモダンが後を追った。第三のモダンは、ノーマン・フォスター達だ。

次にうたかたのポストモダンに移行したのは一九八〇年代だった。

意表をつくイギリス建築エピソード――チャールズはモダンが嫌い

ノーマン・フォスター建築、二〇〇四年の「三〇セント・メリー・アクス」（サーティ・セント・メリー・アクス。30 St Mary Axe）のセクシャルな外観を嫌ったチャールズ皇太子（当時）は、イギリス皇室の宣伝ドキュメンタリーで、テームズ川を船でめぐりながら、フォスターの建物を指さし、イギリスの伝統ある風景を汚した、忌まわしい建物、と公に批判した。その上、私が美しいイギリスの伝統ある風景を創って見せます、と王室が所有している土地の一部で一八世紀の村をつくり、なんとエリザベス女王が笑顔で手を振る人形まで店頭に並べ、女王が王室の土産ショップがある観光名所の主人になる、というパフォーマンスをやってのけた。チャールズ皇太子にとっての美しいイギリスとは、赤レンガでできたリバイバル・ゴシック建築の風景だった。

国王となったチャールズはイギリスの建築界にとって頭の痛い存在になるだろう。

暴言、とはいえ、建築についての評論が公に国民の耳にはいることは評価すべきだ。それほど建築がそのまま権力と結びついていた歴史ゆえだが、それゆえ都市の景観に気を配ることになる。いまなお、都市計画という作業がすすまない日本にとってもチャールズのような建築評論が待ち遠しい。

23章

コルビュジエのモダン

リポランの白とモダン

コルビュジエが愛した白ペンキの名前は、リポランだった。それは、一九世紀末にオランダ人の科学者、フェルディナンド・リポ（Ferdinand Riep）が開発した乾燥が早くて輝く塗料だった。一九〇一年には日産四五〇リットルになるほど人気だったが、いつのまにかアーティストの画材としてカタログにのり、リポランといえばアートと同義語になった。

一九世紀末の映画館で三人のペンキ職が互いの背中をリポランで塗るユーモラスでスクリーンいっぱいの広告は、当時の誰の脳裏にも焼き付いている、という。あるいはペンキのパッケージに描かれた三人の後ろ姿も忘れがたい。やがてエナメル質のペンキ、リポランはモダン建築の主役となった。

このエナメル質のペンキ、リポランを特別な理由で使った二人の人物、ピカソとル・コルビュジエの逸話がおもしろい。一九三七年、スペインのフランコ政権はゲルニカの市民を大量に殺戮した。ピカソは怒り、ただちにその行為を告発する壁画、縦三・五m、横七・八mを描いた。大画面いっぱいの作品はモノクローム。黒はもちろん、白もリポランだった。愛人ドラマールが撮影した写真の机の上

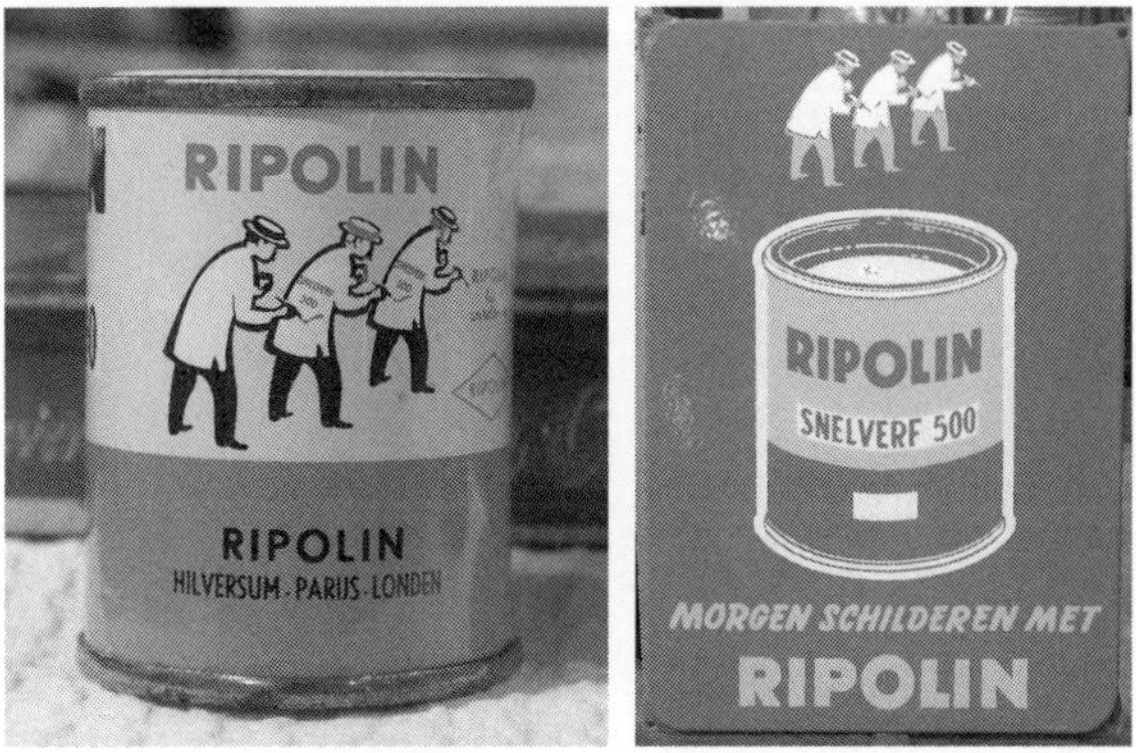

ペンキ、リポランの塗料缶

にリポランの缶がある。四月二八日に事件を知り、五月に制作にはいったピカソは一九三七年パリ万博開催の六月にスペイン館に搬入しようとあせった。油彩では間に合わない、速乾性のビニール樹脂リポランだったら大丈夫と選んだマットなリポランの白は、ゲルニカの悲劇を際立たせ世界にメッセージを届けた。

もう一人、ル・コルビュジエがこのリポランの白を使ったのは、清潔を重んじ、過去を消すためだった。白が装飾つまり過去の飾りを消し、清潔なインテリアになる、と白の効用を説く。まるで白という神様を信仰する敬虔な信徒のように。

装飾を消すリポランのおかげで現代モダン建築は白で街を覆い尽くした。かつての宮殿には白い建物もあるが、白い大理石が庶民の手にとどくわけはない。レンガの上に塗った白い漆喰は、煤や埃、そしてメンテナンスに手間がか

かる。だがリポランは、油分が雨風を避け、なお安かった。

リポラン法

「リポラン法」（la loi du ripolin）をル・コルビュジエが提案したのは、一九二五年刊の『今日の装飾芸術』だった。「リポラン法の結果を思いたまえ。市民は皆装飾用の布、ダマスクス織りの布地、壁紙などのかわりにリポラン塗料の白色の純粋な塗料を塗るだろう。市民の家には不潔な暗い隅は姿を消し、到るところが清潔になり、いっさいがありのままの姿を現すだろう。次に市民の内的生命が清浄される。なぜなら市民はすでに明瞭で、許され、望まれ、計画された物でない一切を拒絶する境地に入っているからだ。人間は計画をもって動くものである」と語り、壁紙や壁布での壁面装飾を否定し、インテリアの基本はペンキの白だけ、と過去の様式を一挙に捨て去る。それはまるで世紀末から始まった写実という過去を捨て、抽象に向かった芸術家のように。

だがコルビュジエが捨て去ったのは、過去の様式だけではなかった。さらに、過去にまつわる思い出の物、すべてを捨てよ、と主張する。「リポラン塗りの部屋の中では、使い古されたものは捨てられるだろう。これこそ生活における重要な行為であり、生産的な道徳である。あなたは、役に立つ物をよりわけて、使い古されたものはこれを捨てる……」でなければ所有欲が人間の足枷になり、前に向かおうとする自由をうばうからだ、と、住空間からあらゆる過去の痕跡を消せ、と提案する。

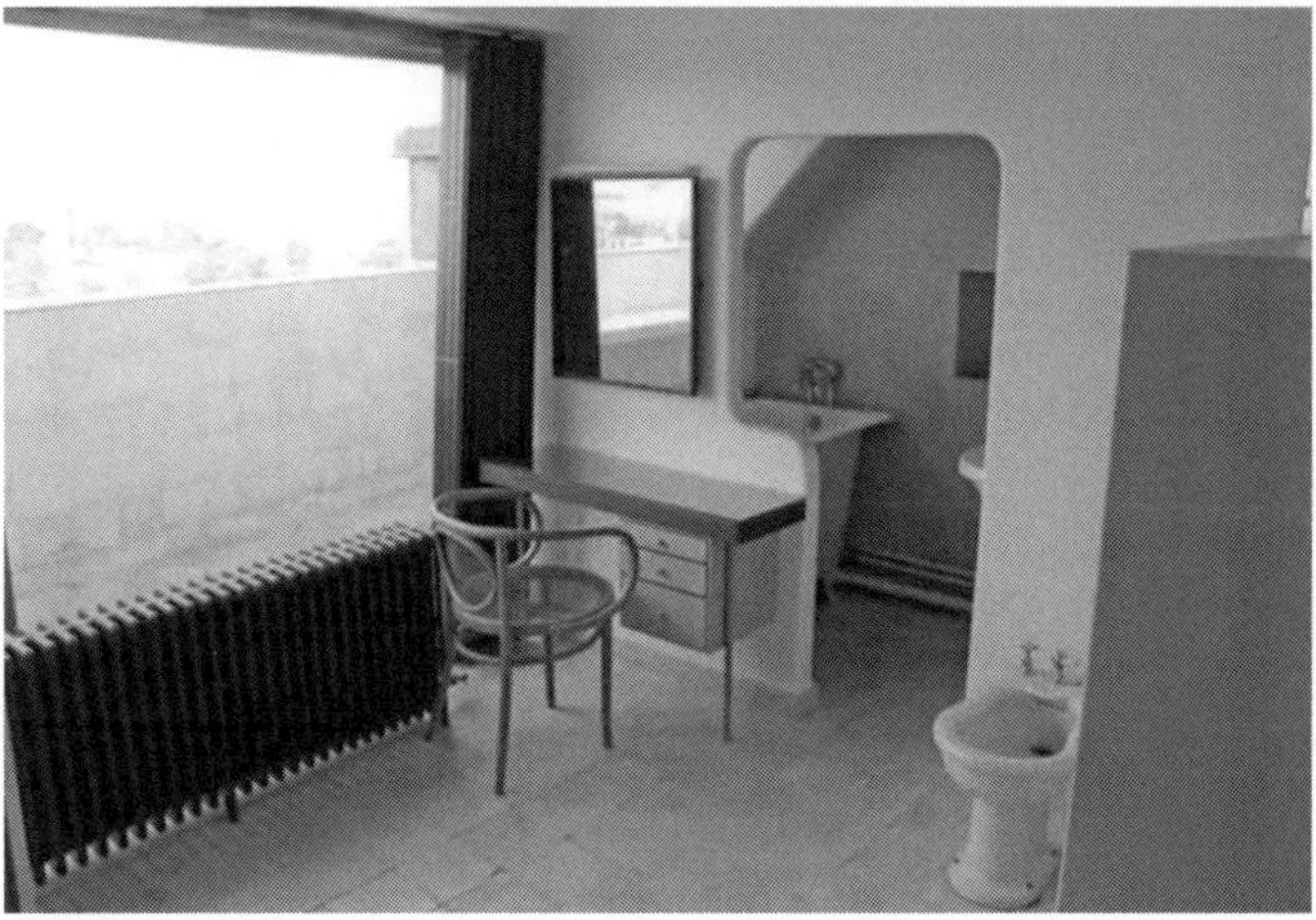

ルコルビュジェ自宅。ビデ。トーネ209椅子

白、平らな白、清潔の白、その白は簡素とモラルの高さと純粋を象徴し、モダンは白でなければならなかった。白は汚れを取る洗浄剤であり、その結果生命さえも清浄になり、伝染病に冒されないように、細部にまでも白を、と。二〇世紀の人間に肉体の健康と精神の健康と環境の健康、を届けようとするコルビュジエにとって、白は命の色でもあった。

　コルビュジエがスイスからパリにでてきたころ、一九一七年に左眼を失明する、という不幸に見舞われた。だからこそ健康にとって不可欠の白、光、風などが充分あることを住宅の基本原則とした。とはいえ、すでにヨーロッパでは度重なる伝染病から身を守ろうと健康、清潔などへの啓発運動は万博などでくりかえされてきた。

清潔とモダンが手をとりあう――一九〇〇年パリ万博「清潔館」

清潔にかかわるキャンペーンの一つに、一九〇〇年開催のパリ万博がある。パリ万博ではフランス陸軍と海軍の展示館に多くの清潔用具が出品され、医療関係機関の展示の中ではパスツール（一八九五年没）研究所の細菌研究報告がハイライトだった。展示は具体的には飲料水を清潔に保つ器具、清潔で健康に暮らすための住宅提案であふれていた。例えば日光が充分室内に入るためには、部屋の奥行きは窓の高さの一・五倍以上あってはならない、窓はできる限り天井の近くまであるのが好ましく、これは同時に空気の入れ替えに役立ち、そのための建物の方角にも注意すべき、と指示する。

インテリアでは、カーテンをやめて、壁はペンキで明るい色に、天井にも清潔を心がけ天井の角は丸く、床は掃除しやすく、床を歩くときにはスリッパで、寝室のベットは木材ではなく鉄か銅などの金属で、脇机も金属で、壁紙もやめ、かわりに明るい色のペンキで、などのアドバイスをする広報誌が配布された。

モダン建築の条件となった、金属でできた家具、明るい色のペンキ、カーテンをやめ、太陽光を、とのコルビュジエの提案は一九〇〇年には準備万端だった。追いかけるように第一次世界大戦最中にスペイン風邪で多数の死者をだした痛みが、清潔とモダンが手を取りあうきっかけになった。

ワイマール時代のドレスデンで、一九二七年に世界ではじめての「衛生博物館」を創立したのは、防腐剤、うがい薬、化粧品で莫大な富を築いた男、カール・オーギュスト・リンガーだった。彼は世界で最初の「第一回国際衛生博覧会」を一九一一年にドレスデンで開催した人物でもある。パスツールが細菌の研究でワクチンをつくったのが一八七九年、そしてコッホが一八八二年に結核菌を発見し、混迷のなかにあったヨーロッパにさした医学の明るいきざしが、モダン建築を準備した。

スポットライトがあたった健康、清潔が衣食に影響を与え、次に住宅に及び、一九〇七年にパリに行った若き建築家ル・コルビュジエは結核菌が紫外線に弱いことを知り、太陽光を住宅内にいれ、白の反射光を強化しようと計画しただろう。だからこそ一九二五年の宣言があった。

1900 年衛生博覧会のポスター

コルビュジエと感染予防

『人間の家』という報告書（F・ド・ピエールフ著、一九四二年）がある。その報告では、フランス人は結核のために死亡している、と警告する。ル・コルビュジエは、著者ピエールフの共同執筆者というよりイラストで著作を援助した。

出版年からわかるように、執筆は第二次世界大戦の真っ最中だった。コルビュジエが当時のフランス政府、ビシー政権のための仕事を願い出た時だった。この時代にナチズム寄りの政権にすり寄ったことで現在でも非難をあびているが。

コルビュジエは一〇人家族が三三㎡の家に住む子供の絵を描き、結核になるのは住居のせい、と不衛生を嘆いた。そのための都市改革計画は実現しなかったが、彼は常に良い住宅の条件は、白、太陽、空間、緑、風、そして機械、と訴えた。コルビュジエにとって最大の武器、白はモダンの象徴になった。

彼が設計したサボア邸の入口に洗面台がある。洗面台の前に鏡はないがランプが上にあるから、邸の主人あるいは来客が玄関で最初に手洗をしたのかもしれない。入り口の手洗い、とはいささか奇妙だが、時代を先取りするきわめつきの感染予防デザインであることは確かだ。いや洗面台だけではない。ビデもまたむき出しでインテリアに備え付けている。

コルビュジエ自身も友人の医師スポートの指導の下で健康に留意しスポーツに励んだ。忙しくて外での運動がままならない時には個人教授をやとって屋内で訓練し、それもかなわなくなれば自宅の屋上庭園で、さらに屋上のプールで鍛えた。コルビュジエ設計の屋上庭園とプールとは娯楽の場ではなく身体鍛練の場だった。そのコルビュジエがトーネの椅子No.209を発見し、愛し生涯を共にした。

モダンはトーネを発見した――トーネの椅子No.209

曲げ木の椅子は二〇〇年、曲げた金属パイプ椅子は一〇〇年愛された。トーネが開発した曲げ木の椅子は二〇〇歳を超える長寿だ。金属パイプのデザイナーはマルセル・ブロイヤーとされたが、同時期に建築家マルト・スタム、ミース・ファン・デル・ローエ、リリー・ライヒなども挑戦し、パイプ椅子も一〇〇歳になった。

二〇〇歳のトーネの椅子、その曲げ木の技術は一九世紀始めに車大工メリハル・フィンクが薄板を曲げ、イギリスのイザーク・ザーゲントが、板を湯で煮るか蒸して柔らかくし、日陰で乾燥させて曲げ、一八三〇年にはアメリカのエドワード・レイノルズが、木を曲げる機械を発明し、馬車の車輪の開発をきっかけに進化した技術だった。

とはいえ、トーネの木材を曲げるという試みがなかったら、二〇〇歳の皺のない製品は生まれなかった。加工技術だけがユニークではない。曲げ木の椅子にはそれ以上に隠れた仕組みがある。それは椅子がいくつかの部品に簡単に分解され、どこにでもある道具で、専門家でなくても組み立てることができ、デザインが違う別部品が用意されているから、部品を取り換えるだけで瞬時に別のデザインになり、バリエーションが生まれ、修理は壊れた部品だけでよく、それゆえ価格が低く、量産でありながら多種の機能を可能にする、優れたシステムの製品だった。まだ家具がオーダーメイドだった時代に量産という生産技術（工場制手工業

トーネの椅子ダウムチェア

トーネ14の部品分解

manfacture）を開発し、専門の職人でなくても近隣の働き手を集めてくるだけで生産ができる方式を作り上げたのが、トーネだった。

しかも、部品のまま輸送する、という特徴もユニークだ。椅子の形のままだったら、大容量のコンテナが必要になるが、部品でノックダウン方式をとれば遠方でも輸送経費は安い。例えば最もシンプルなウィーン・コーヒーチェアと呼ばれる№４（現在№214）は六部品でできている。当時の列車の貨物室のサイズ一㎥のコンテナに三六脚を詰めた。大量生産に留まらず、大量輸送ができる軽い家具は世界を顧客にし、一九二〇年代には船でアメリカに渡った。№４の重量は二・七kgと軽く、カフェで働くウェイターが片手で簡単に持ち上げ掃除できる便利な存在だった。しかもチャップリン映画の喫茶店内での乱闘の場面に使われたのがこのトーネの椅子だった。簡単に部品に解体し、しかも怪我をしないから、効果満点のシーンが撮影できた、という笑いをさそう逸話もある。もちろん世界中のカフェやレストランの定番椅子となり、印象派の画家マネの「チュイルリー公園の音楽会、一八六二年」の右手前の椅子は、おそらくトーネの初期の椅子だろう。ピカソもロッキングチェアを好みそれを作品に描き、ロートレックの「ムーランルージュ」にもトーネの椅子がある、というほど、だれにも愛され、どこにでもあった椅子だった。

当時イタリアでも似たタイプの曲げ木の椅子が生産販売されていた。その差は、解体して組み立てができるか、できないかだけだった。椅子を自転車の荷台に山のように積んで田舎道を走る写真が残っているが、このメーカーは生き延びることができなかったようだ。

椅子は最も人体に近いから、その形に様々な意味を持たせてきた。権威を現す椅子がその典型だが、アームがあるかないかだけでも、使うに相応しい場は限られる。とはいえひじかけがないトーネの椅子No.214はどんな場でも楽しめる。食堂のテーブルを囲んで、歩道の喫茶店、屋外の食堂で、お茶に、酒に、居間だったら穏やかな雰囲気で、と。どんな色にも染まる白のように。

トーネ——ネオロココからの出発

トーネの成功はオーストリアのメッテルニッヒ宰相に呼ばれて、一八四二年にウィーンのリヒテンシュタイン城のネオロココのインテリアだったモザイクの床と椅子などを、五年間かけてデザインをしたことから始まる。当時は木材を曲げるといっても丸木を曲げるだけでなく、スライスした板を張り合わせて熱処理して曲げる工法も使っていた。ネオロココ様式のトーネの家具とは奇妙だが、曲げ木だけを使って、見事にロココ様式のインテリアに椅子を溶け込ませたのが、成功の始まりだった。

トーネの曲げ木の椅子は多くの機能解析と合理的な生産工程と、経済効率を考慮しながら、製品に番号をつけて整理する、というシステムに導かれて名品が残った。曲げ木のカーブは有機的、装飾的、情緒的で、直線簡素というモダンの形式的構成とは異なるが、量産ができ、なお商品の製造コストは、他の木材の椅子と競合できた。

一八五一年のロンドン万博に出品して評価が高かったのは№４の「カフェ・ダウム・チェア」だった。ウィーンのカフェの女主人からの依頼でデザインした曲げ木でハートの文様がついた№４は最初の量産品として販売された。そこから№14までの試行錯誤の過程で、デザイン、加工、輸送方法などが研ぎすまされ、もっとも合理的な№14のスタイルが完成し、一八五六年までに南アメリカまで輸出され、一八七〇年までに年間四〇万脚を生産し、二〇一〇年代には二億脚が生産された、という。

工業立国としては後進国だったドイツは徹底的に生産工程をとぎすまし、改造を加えるたびに椅子に番号をつける方式をとり、この方式がデザインから試作、生産、管理、宣伝、販売、輸送、という一連の流れを合理化した。

トーネの成功のもう一つは通信販売を取り込んだことだった。一九世紀にはイギリスやフランスに比べれば遅れていたオーストリア、ドイツの産業が先進国に対抗する政策でもあった。とはいえ、トーネの椅子は工業デザイン二〇〇年の歴史で最も輝くデザインの一つにまちがいない。

マネ。パリ喫茶店のトーネの椅子

トーネのアームチェア

アームがついた椅子No.209をコルビュジエはいくつかの館に置いた。一九二七年のシュトゥットガルトに建てたヴァイセンホーフ（Weißenhof）ではコルビュジエ椅子、というあだ名がついた。オランダ人批評家paul henngseu はトーネの椅子No.209を評して、「この椅子を建築家がデザインしたら五倍価格は高くなり、三倍重く快適さは半分以下で、四分の一の美しさしかないだろう。だけど、それでも名声を馳せることはできただろう」と皮肉な賛辞を献じている。

ル・コルビュジエが一九二三年にメゾン・ラ・ロッシュ・ジャンヌレ（la maison la roche-jeanneret）に置いたNo.209は淡い緑色で、一九二五年のパリ展示会場のエスプリヌーボー館には白で。パイプ脚のテーブルとトーネの椅子、その横の壁にはフェルナン・

レジェの絵画、そして生涯の住処となったパリの住宅、ポルト・モリトーの自宅兼アトリエには、白いNo.209四脚が白い大理石のテーブルを囲んでいる。

これさえあれば充分のNo.209

椅子No.209は「壁は白。籐の椅子またはトーネの曲木椅子。さっぱりとした部屋には、こんなにわずかなもので充分」というほどのコルビュジエのお気に入りだった。コルビュジエはインテリアを、壁になる家具で構成し、そこから飛び出るのは机と椅子、そして衛生用具だけ。

一九二五年の「エスプリヌーボー館」のNo.209のそばに置いたテーブルを飾ったのは、花瓶に見立てたビーカーといった実験用具で、すべてが量産品だった。だから量産品というジャンルでの椅子という条件にNo.209は適していた。だがNo.209に魅惑された理由は他にあるかもしれない。それは、身体との関連が密だったからだ。抱かれているという感覚と、掃除がしやすい軽さと足廻り、つまり身体的な満足度

コルビュジェの好んだ家具

と衛生が一致する心地よさを見つけたからだろう。それは、一九一〇年代の経験で培われた。

田園都市ヘレラウで

一九一〇年代にドレスデンに田園都市ヘレラウができ、コルビュジエの兄のジャンヌレがそこにできたダルクローズ学校の音楽教師の一人として赴任していた。後にバウハウスの教員となったオスカー・シュレンマーが舞台ダンスの作曲を依頼したほどの兄だった。コルビュジエがヘレラウを訪れ、その祝祭劇場の建築に感激し、ベーレンスの事務所を離れてでもヘレラウに参加したいと手紙で嘆願したほどだった。音、リズム、身の動きを同時に表現するリズミック体操に憧れたコルビュジエは、ここで身体に興味をもち、後のモドュロールにつながった、という。体に密接する、包み込まれる、という感覚の椅子を求めた原点は、こんなところにあるのだろう。

この椅子は、歴史様式の家具と違い、シンプルだが民具でもなく、土地の匂いも年代もみえず、直線ではないが、彫刻飾りはなく、上半身の動きをかばい、両手を広げた優しい形であることは確かだ。コルビュジエの終の住み処にはシャルロットペリアンがデザインしたシェーズロングもみえるが、屋内全体をみわたせばトーネの椅子が際立っている。自身でタイプ家具ＬＣをデザインした後でもコルビュジエはNo.209を離さなかった。

クレーのアパート。トーネの椅子214がある。1912年頃

ル・コルビュジエとクレー

パリに移ったコルビュジエがアメデエ・オザンファンの「ピュリスム」（純粋主義）に共鳴したように、クレーはパリに入ってすぐにロベール・ドローネーを訪れて「オルフィスム」（Ｏｒｐｈｉｓｍｅ）「絵画的テクストは歌えるものだ」に共鳴した。クレーの最初のパリ時代のアパートの写真がある。ベットが左に、右の壁の前の机の前にあるのはトーネのNo.14。まだ画家として認められる前だったから安い椅子だったとしても、コルビュジエも同じ曲げ木の椅子を選んでいるのは、トーネのNo.14はピュリストによって選択されたようだ。絵画が直線、丸、三角、四角という抽象の世界に行き着く前に生活の中に入ってきた椅子が、幾何学的な丸、三角、四角ではなく、素材と機能のバランスが巧みにモダンの条件にあっていたとしても、視覚的にはトーネの椅

子は曲線が際立つ。それをモダンと判断してコルビュジエが、いやピューリストが選んだ。いや、曲線といっても、線の行く先が見える、という意味ではシンプルな線だ。

このふたり、コルビュジエとクレーには不思議な共通点がある。クレー（父音楽教師）とル・コルビュジエ（母ピアノ教師）はスイス人で共に音楽家の息子だった。クレーのほうが八歳年上だったがコルビュジエがベルリンのペーター・ベーレンスの事務所にいたころ、クレーも師のフランツ・フォン・シュトゥックのところで学び、その結果二人とも純粋主義にのめり込む。そして二人には病があった。コルビュジエは右目を一九一七年に失明し、クレーは死の直接の原因となった皮膚の病が彼を悩ませていた。

健康不安に脅える時代：トーネのカーブは捨てきれない過去

トーネの椅子、その素晴らしさを発見したのは使い手、消費者だった。コルビュジエはその一人だ。だが彼はその量産品を、白いインテリアに溶け込ませることに成功し、大声でトーネの素晴らしさを叫んだ。七七歳までの終の住み処になるはずだったパリ、ポルト・モリトーの自宅兼アトリエの工期は一九三一年から一九三四年までだったが（一九六九年、水泳中にキャップ・マルタンで急死する）、ここには彼の清潔と健康への意思を示すビデがむきだしで壁につけられていた。白いトーネの椅子がすぐ横になかったら、病院か独房の一隅ではないかと思わせる。トーネの椅子に助けられて病院でも事務所でもなく住いの表情をつくっている。

コルビュジエの「もの見ない眼」の章で彼は社会の変革がこれほど激しいのに、建築家はその変化に気がつかないと嘆く。自動車、飛行機、旅客船などその時代最先端の機械は、多数の人間が早く移動するために造った機械だ。だから住宅も「住む機械」としての「時空」が開放された身体と開放された思考のために必要だ、とする。これは二〇世紀に住む人間の必要とするすべてを住宅に満たしたいという要求であり、なかでも襲うかもしれない病に立ち向かう病院への指示であり、そのために一九二八年には「LC4シェーズロング」などのリクライニングチェアも生まれた。このリクライニングチェアは結核患者の療養のために開発されたサナトリウムにヒントがあった。

モダン建築には健康、清潔がつきまとっていた。例えそれがコルビュジエによって顕著に表現され、白と透明そしてガラスと金属を使って都市空間ができあがったとすれば、時代が健康不安におびえていたからだ。それはどうやら過去のことではない。

二一世紀前半までに都市を埋め尽くしたモダンで清潔な住環境は、光、風、清潔素材の家具と健康への不安をなくした。だがそれは束の間の安堵だった。いま脅える問題はそれが地球規模であることだ。温暖化、エネルギー、新たなパンデミックに国境はない。

24章 世界のバウハウス

世界に広がったバウハウス

一〇〇歳になっても皺ひとつない、と世界が礼賛した一九一九年生まれのバウハウスは、ワイマール、デッサウ、ベルリンと三カ所を転々とした。いやバウハウスは三つあった、といったほうがいい。グロピウスのバウハウス、マイヤーのバウハウス、そしてミースのバウハウス、と移転の度に教育方針もカリキュラムも変わった。現在これこそバウハウスの教育と評価するのは、デッサウ時代、マイヤー学長時代に生まれた視覚的な教育のカリキュラムだ。抽象的な形と色の分析から始まるこのカリキュラムは、背景に異なる文化があっても、どんな地域であっても、だれにも理解でき、吸収可能なモダン・デザインの解答に近づく基礎教育の道だった。

一九三三年の閉校後にいくつものバウハウスが世界中で芽を出した。政治的な混乱があって亡命あるいは移住者となってドイツにやって来た学生のなかでも、バウハウスで学びやがてハンガリー、チエコに帰国した学生や、バウハウス閉鎖後にニューヨーク、ロンドンに移住した卒業生が各地でバウハウスの種を蒔き花が咲いた例も多いが、バウハウス健在の最中にもバウハウスのカリキュラムを取り入れたドイツの外での教育機関も芽をだした。

モスクワのブフテマスは前述（六章）の通りだが、バウハウスを基本とする教育のカリキュラムを取り入れたのは、おおまかに六校ほどある。

一．ロシア「モスクワのバウハウス：ブフテマス」ドイツと同時期（別章参照）。
二．「アメリカのバウハウス」
三．「東京のバウハウス」
四．「チェコのバウハウス」
五．「ロンドンのバウハウス？」
六．「ハンガリーのバウハウス」

そのなかでもロシア、ハンガリー、チェコのバウハウスが興味深い。

ハンガリーのバウハウス——ムヘイ工房

ハンガリーの芸術運動は、一九一八年に始まるハンガリー社会主義革命に追われて国外に脱出した前衛芸術家達の活動が、ハンガリーの外で注目を集めた。一九一〇年代から一九二〇年代にかけて、彼らは表現主義と構成主義を歓迎し、その中心にいたのは社会を変えようとする若者だった。彼らの政治的な試みは成功しなかったが、アーティストとしての試みは、平和が訪れた祖国のハンガリーに帰国してから、広告やポスター、ファッションにあふれ出て、一部ではあるが裕福な市民に受け入れられた。その直接的なきっかけは、一九一三年、イタリア未来派、ロシア未来派そしてドイツの表現主義の作品を同時に展示する巡回展がブダペストのナショナル・ギャラリーで開催され、この展覧会を見たカッシャーク・ラヨッシュがハンガリーに「行動主義」という芸術運動を起こしたからだった。

モホリ=ナジとカッシャークが中心だったハンガリー構成主義グループの仲間だったアレクサンデル（シャーンドル）・ボルトニク（Alexander BORTNYK, 1893-1976）は、ブダペストで美術を学んだ。しかし、ハンガリー社会主義革命で、ハンガリア・ソビエト国（一九一九年に成立し四カ月存在した共産主義の国）が崩壊し、ルーマニアがハンガリーを侵略した。ボルトニクは祖国を離れて、オーストリアのウィーンで雑誌の装丁やグラフィックの仕事をした。そして一九二二年にドイツ・ワイマールに逃れて一九二二年から一九二五年まで滞在し、バウハウスに入学はしなかったが、バウハウスの教員から指導をうけた。なによりも彼にとっての先生はオスカー・シュレンマーだった。シュレンマーの演劇ワークショップに通い、幾何学的な色彩の重なりや抽象的な人体の造形もシュレンマーから学んだ。当時のワイマールでは表現主義の保守派が主役だったが、オランダの前衛芸術家テオ・ファン・ドゥースブルグなど反バウハウスの動きもあり、彼らは反表現主義だった。

平和条約が成立してボルトニクがブダペストに帰国したのは一九二五年。そこでグラフィックデザイナーとして、当時国内で経済的に豊かになりつつあった中流階級にむけての広告などのデザインをしつつ、一九二八年ブダペストのバウハウスとして知られるグラフィック・デザインの「ムヘイ工房」(Mühely Academy)を開いた。

ヴァザルリも学んだ「ムヘイ工房」

「ムヘイ工房」は一九三八年までの一〇年間しか続かなかったが、資金不足のためバウハウスのカリキュラムの全分野をカバーすることができず、その代わりにグラフィックデザインと、タイポグラフィー・デザインと実習に重きを置いた。

一九六〇年代にパリに拠点を移し「オプ・アート」作家として知られるようになったヴィクトル・ヴァザルリ(Victor Vasarely, 1906-1997)は、一九二九年に「ムヘイ工房」で学んだバウハウスの教育に多大な影響を受けたデザイナーであり作家だ。

グラフィックデザインの指導はまず、四角からだった。それを何等分かして、そこにリズムとプロポーションを加えていった。この教育方法はバウハウスのテオ・ファン・ドゥースブルグの教育をみならったものだ。いつでも学生数は一二〇名くらいだったが、ヴァザルリの回想録に当時の教育が刻まれていた。

「私たちは、最高レベルの芸術と思われていた抽象的な形の研究が特に好きでした。まず基本形、四角、丸、三角の関係を学び、四角から八角形を造る演習が続き、次第に立体のデザインとテクスチャの練習になり、色の使いかたへと演習は七段階でした。形、色、素材を駆使して、シャープさ、鈍さ、柔らかさ、滑らかさ、などの質を視覚化しました。私たち学生は、カンディンスキー、ル・コルビュジエ、マレーヴィチ、リシツキー、そしておそらく奇妙なことに、シャガールの作品なども分析しました。私たちはそれらの作品を尊敬していたのです。一九三〇年にハンガリーを離れるころまでに、抽象芸術のすべてを理解していました。ボルトニクはクレー、カンディンスキー、グロピウスも個人的に知っていたし、モンドリアンともつきあいがあった、と言っていました。でもボルトニクは彼の学生にもっと実用的で建設的な何かを成し遂げてほしいと思っていたようです。ボルトニクの教育は私にとって非常に貴重でした。パリに到着したとき、私は確かな職能と非の打ちどころのない描写のスキルが身についていました。だから迷うことなくポスターやイラストを作ることができたのです。そしてモンパルナスの飢えた芸術家の一人であるかわりに、きちんと暮らすことができたのです」と。

バウハウスの視覚教育システムがどれだけ有効であり、ヴァザルリがそれをむさぼるように吸収したかを克明に想起した記録は、「ムヘイ工房」を通してバウハウスを確認する手だてでもある。

ボルトニクの不安

ボルトニクは構成主義の画家だった。ワイマールに住み、バウハウスの人々と会い、抽象を描きながら、二次元から三次元へと移層する画面を描き、そこに物や人物像などを組み入れた「New Adam」という作品を造った。そこには一九二〇年代のモダンを気取るファッションに身をつつみながら気取ったぜんまい仕掛けの人形のような男性を皮肉っぽい姿で描いている。まるでゼンマイが切れたらモダンは終わるかもしれない、という不安を隠しながら。ボルトニクの作品はリシツキーの平面と立体を交錯させる構成主義的作品「プロウン一九二三年」を援用しながら、表現は未来への不安をロマンティックに表現する。古典的な遠近法ではない遠近、次元を乗り越える構成主義の試みはまさに新たなモダンという次元への旅立

ボルトニク、ニューアダム、1924

ちだった。リシツキーに影響され時間と空間を同時に乗り越えるモダンを試みた作家だった。

彼は、ヒトラーの時代になってもコミュニストとしてモダン・デザインを率い、第二次大戦後はブダペスト美術工芸学校で教鞭をとり一九五六年まで校長をつとめた。

アートは国境を越える

ヨーロッパには国境をいくつも超える生涯を送った多くの人々がいた。祖国から脱出したハンガリーの前衛芸術家達のほとんどが地理的にも歴史的にも近いウィーンへまず亡命し、ドイツ、フランス、ロシアへと前衛芸術の新天地を求めて流出した。オーストリアのウィーンで主流だった分離派などは一九二〇年代に影が薄くなり、ハンガリーの芸術家達は前衛を求めてドイツ文化圏のアバンギャルドの中に活動の場を移していったが、それだけの理由ではなく、ユダヤ人が高等教育をうけるチャンスが狭かったからでもある。ハンガリーでは一九二〇年代になって学生総数の六％だけユダヤ人に入学許可がでる、という法律ができた。それはキリスト教徒のハンガリー人だけでは経済的な問題が起こるかもしれなかったからだ。それに傷ついた多くの若いユダヤ青年達は外国で学ぶ道を選んだ。差別に追われてアートもまた青年達と一緒に国境を越えた。

チェコのバウハウス——カレル・タイゲ

東欧諸国の芸術運動を語るのは難しい。ましてや東欧諸国のデザインを語るのは至難の業だ。というのは、広大な地域にそれぞれ別の言語を話す、数多くの民族が暮らし、戦争を繰り返しながら、同じ言語を使う民族同士でつくる「国家、国境」、というものの存在が揺れ動いた地域だからだ。チェコ語をつかえない時代が終わり一九世紀半ばから一九一八年にかけてやっと、自分が属する民族の言葉が自由に使えるようになったほどだ。言語だけではない。民族も宗教も文化もそれぞれ異なり、それぞれが自己のアイデンティティの表現に困難があった地域でもある。

その結果多くの人々が、束の間の平和を求めて移民となり、その移民先で歴史に残る仕事をのこしている。だから、アーティストが生まれた国の名前で個人を評価するには不向きな作家も多い。だがここでは移民先から帰国した後に、生まれた祖国で残したモダン・デザインに光をあてよう。

チェコ建築誌『スタバ』の情報

チェコの建築雑誌の『スタバ』(Stavba) は一九二二年の創刊だが、プラハの建築界にバウハウス情報を多く提供した。バウハウス関連の最初の記事は、発刊二年目のドイツの建築家兼理論家であるアドルフ・ベーネが書いている。彼はワイマール時代の評論家であり、ドイツウエルクブンドの会員でもあったが、タウトの一九一三年の建築を批判し表現主義の建築と呼んだ人物だ。べーネは最初の寄稿で、ワイマールのバウハウスの創設者としてのグロピウスの役割について書き、数カ月後に一九二三年の国際建築展の記事でバウハウスは面白くて豊かだが、展示作品のほとんどが「直線と直角」だけだった、と批判している。これは『スタバ』のための特別寄稿だったが、このドイツ語の記事をチェコ語に翻訳したのはタイゲだった。

チェコ、独身アパート、シャロウン

グロピウスと知りあったタイゲはスイスの建築家ハンネス・マイヤーと一緒に一九二四年から一九三〇年にかけて『スタバ』にバウハウスについての記事を定期的に掲載し、雑誌『ReD』の特別号をバウハウスに捧げるほどだった。とはいえバウハウスの作品を熱狂的に評価するわけでもなく、美術と建築学校であるはずのバウハウスが伝統的な一九世紀美術と工芸を重視している教育方針に疑問をもち、「今日、どんな美術学校もたとえそれが最高のものでも時代遅れで意味がない」と言い、グロピウスの量産のための機械の使いかたに不満を表明する。そして、建築学校は科学的でなければならない、形式的な芸術的懸念から離れなければならない、そのためには、スタンダード、基準が理想、と主張する。

一九二四年一二月にプラハとブルノで行われた学長グロピウスの講演の記事では、グロピウスが量産住宅について論じ、以前のプロジェクトでの機械の使い方は充分ではなかった、と自分の非を認めていることを知らせる。

その後、タイゲはグロピウスはバウハウスをヨーロッパの他の学校と同じように、モダンな建築学校に変革したと評価しながら、ワイマール校が「工芸の遺物」を放棄したその瞬間に閉鎖されたことに憤慨する。その後、バウハウスがデッサウへ移転することを発表し、グロピウスが設計した建物を雑誌『バウハウス』で見た、と読者に知らせる。一九二四年から一九二八年までの一連の記事をみれば『バウハウス』は一九二〇年代にはすでにチェコの前衛的な国際ネットワークにつながり、雑誌のテキストや写真は世界をめぐり、新しい住み方暮し方を知らせ、前衛的な芸術家や建築が政治的な思想を代弁する力があることを読者にわからせた。

タイゲの著作『バウハウスの一〇年』でバウハウスはオランダとソビエトの前衛と接触して、機能主義に成長したと評価し、ハンネス・マイヤーの指導の下にあったバウハウスの教育方針を絶賛し、なおハンネス・マイヤーの哲学は、形の上での構成ではなく、社会的関心にむかっているのであり、その方向はチェコの近代主義と同じ道を歩いていた、と評価した。タイゲは「バウハウス、スタイル」はモダニズムという流行を生んだが、これは改良すべきで、その欠点はマイヤーが学長になって修正された、と主張する。マイヤーは同じ年に『ReD』で「創造の教育」としてのバウハウスは芸術的ではなく社会的現象だった、と記している。建築誌『スタバ』と『ReD』の編集方針は、社会を変えようとしているチェコスロバキアの若者に発言の場を与え、そこに引き寄せる役割を果たした。

建築家としてのタイゲの作品がおもしろい。エンゲルスの説く、夫は家庭内ではブルジョワであり、主婦は労働者階級だ、だからこの労働者階級、女性から家事労働のすべてを解放する住宅「最小限住宅」の提案をする。それは住宅プランからまずキッチンをなくすことだった。ロシアの社会主義思想から受け入れたものだったが、コレクティブハウジングとして、住民共有の食堂、浴室、保育室などをもつ住宅団地案だった。だがこの案は実現されることはなかった。

『RED』バウハウス特集、1930年。装丁カレル・タイゲ。

タイゲは、コルビュジエの建築にも大胆に批判の矢を放つ。コルビュジエの一九三〇年の「輝ける都市」を例に、コルビュジエの都市計画の土地利用は地価をあげ、資本主義者の利益に寄り掛かるものとして批判し、コルビュジエは施主に過去の装飾と貴重な素材を提供するかわりに、高額なテラスと素晴らしい空間的贅沢を提供するにすぎないと否定した。これが一九二〇年代か一九三〇年代にかけてのチェコの建築評論家達の姿勢だった。

カレル・タイゲのグラフィズム

プラハに生まれプラハで生涯を閉じたカレル・タイゲのグラフィックデザインを紹介しよう。とはいえ彼は単にグラフィックデザイナーだったわけではない。二つの大戦間にポエティズム、シュールレアリズムというチェコを代表する芸術運動のスポークスマンであり、理論家で装丁家でもあった。さらに彼は「雑誌」出版を試みる。なぜなら高額なアートを庶民が手元に引き寄せるには雑誌こそ最高の媒体だから、と。共産主義者だった彼の運動は「プロレタリア革命」ではなく、「プロレタリア芸術」の「革命」だった。

カレル・タイゲ――詩を映像で。アルファベットに動きを

『ABECEDA』はチェコの前衛芸術家、カレル・タイゲの一九二六年の著作だ。当時の「ポエティズム」の詩人ヴィーチェスラフ・ネズヴァル（Nezval）のテキストを、タイゲがタイポ、写真、コラージュ、で装丁した。タイゲは、「ネズヴァルの詩をグラフィックに置き換えて、純粋に抽象的で詩的な文字のイメージを作ってみました。アルファベット・マジックです」、と語り、詩が言葉で

はなく、グラフィックな色とりどりのレイアウトで、詩を映像で伝える試みだった。

詩の最初にある文字、例えばAからZまでをダンサーのマイムで踊る姿を写真に撮り、その姿を文字で暗示する、いや身体とアルファベットの一部が重なって文字が完成する、という表現だ。

ダンスはバウハウスのシュレンマーの幾何学的な動きだ。建築教育を受けたタイゲはCIAMに参加し、ハンネス・マイヤー（Hannes Meyer）と友人になり、一九二九年から一九三〇年まで、デッサウのバウハウスでゲスト講演をした。マイヤーと共にマルクス主義の機能主義建築（構成主義）の科学的アプローチを説いた（ABCDAは後にロンドンの学校

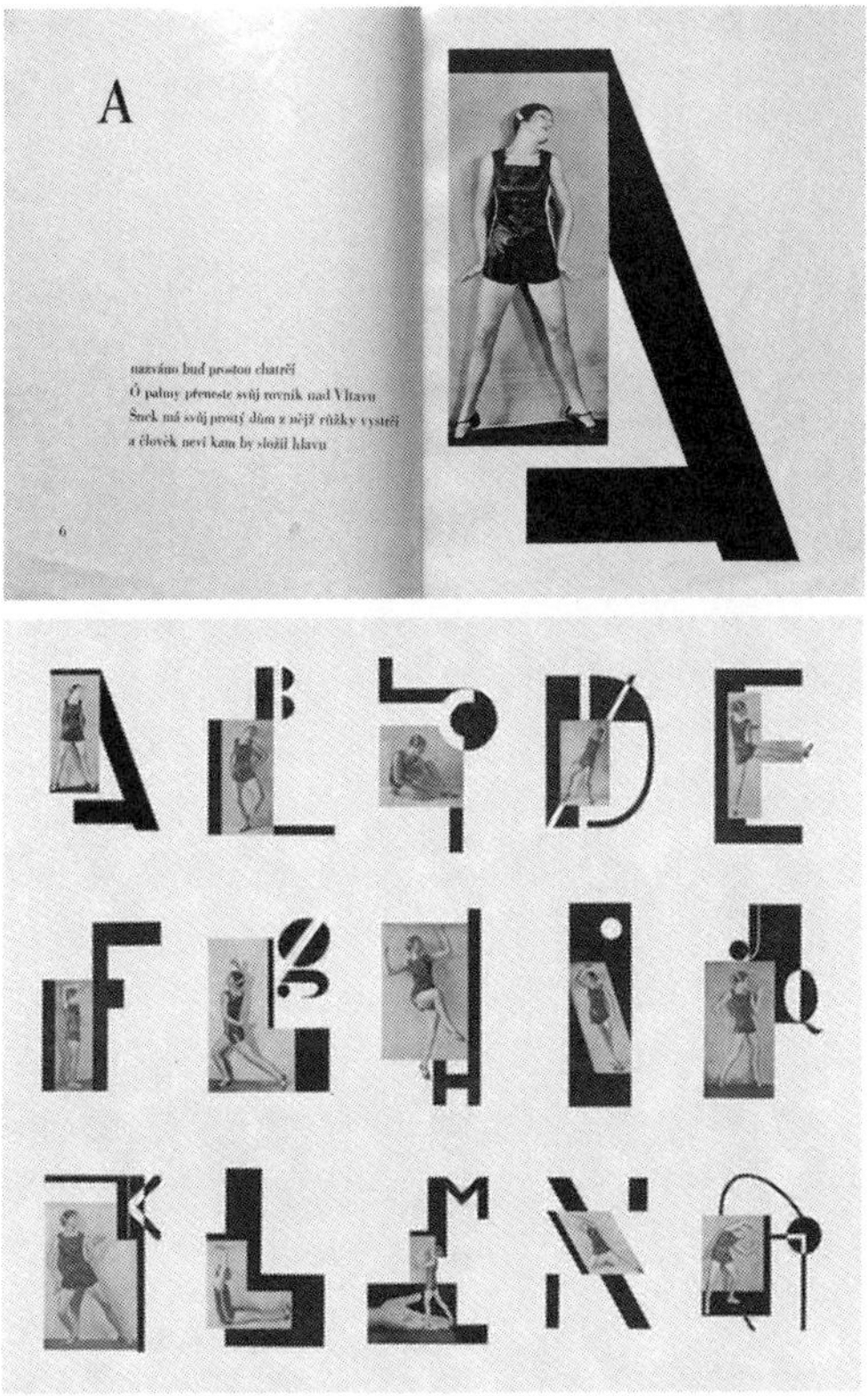

カレル・タイゲ、アルファベットの詩を動画風に

でアニメ化された)。

タイゲはバウハウスのモホリ=ナジのフォトグラム、フォトモンタージュを評価し、ナギもまたタイゲのモンタージュが気に入った。タイゲはタイポグラフィと写真とテキストの組み合わせに「typophoto」と名づけ、これこそ正確にコミュニケーションできる表現だとしたのは、ナギがタイゲを評価するに充分だった。

一九二九年から一九三〇年まで、デッサウのバウハウスでのマルクス主義に基づく機能主義建築(構成主義)の科学的アプローチについての講演の一部を紹介しよう。この困難に満ちた一九二〇年代に、芸術をご馳走のように、笑う世界で、旅芸人のようであれ、と彼はおおらかに語る。

「もし、新しい芸術、そしてわれわれがポエティズム(POETISUS)、生活の芸術と呼ぶものが、経験し身に請《う》ける芸術であるならば、結局、スポーツや、愛や、ワインや、あらゆる御馳走のように、当り前で楽しく、近寄りやすいものでなくてはならない。それは、職業ではなく、ごく普通に必要なものである。生活が道徳的であるべきだったら、そんなものは個人の生活ではない。生活には、微笑み、幸せ、威厳を欠かすことはできない。職業的・芸術家は存在しない。それどころか、現代では異常である……。ポエティズムがもたらす芸術は軽快で、活気があり、空想的で、遊び心にあふれ、非英雄的で、恋にみちている。そのなかにはロマンティシズムの片鱗すらない。ポエティズム芸術は陽気な仲間にくるまれ、『笑う世界のなかに』生まれた。その笑顔に涙が光っていてもいい。ユーモアが支配するから。ペシミズムから解放されたこの芸術は、かび臭い仕事場やアトリエから生きることの美へと重心を移す……美しい言葉の劇、イメージの組合せ、情景を織る糸、そこに『無言』があってもいい。劇のためには自由で、曲芸の精神が必要だ。この精神は詩を理性的な説教にしたり、イデオロギーで無意味にはしない。哲学者や教育者であるよりは、むしろ道化や踊り子や曲芸人、いや現代詩人による旅芸人であることを夢見る」

ル・コルビュジエ批判

建築の近代化の鉄人コルビュジエでさえタイゲの視点に立てば、未だ古典主義が温存されている。現代建築はもっと実践的な社会改革を目指すべきと批判する。

芸術と社会の関係はジョン・ラスキンなども論じたが、それらはタイゲの眼には「ラスキンなどの芸術と生活を結びつけようとするあらゆる試みは、しまいにはあまり影響力のない教訓主義……や内に閉じた芸術至上主義となっている」と厳しい。

しかも、興味深いのは「たった一点だから芸術作品というのではなく、『新しい芸術』にオリジナルは必要ない。広く流通する印刷物（複製芸術）という手軽な雑誌でもいいではないか」と論じていることだ。彼は新しい芸術は複製と、たった一つというエリート主義の芸術信仰と縁を切った。

イッテンの弟子、ハンガリー：モルナール・ファルカス

ムへイ工房の創立者の一人だったモルナール・ファルカス（Molnar, Farcas, 1897-1945）は、一九二一年夏から一九二五年までワイマール・バウハウスのヨハネス・イッテンに学び、次にグロピウスの事務所で働き、一九二五年、ハンガリーへ帰郷してグロピウスの勧めで近代建築国際会議（ＣＩＡＭ）ハンガリー支部の結成に携わった。ハンガリーからイタリア経由でドイツにもどり、モルナールと共にワイマールに来た学生達と一九二一年にバウハウスの展覧会に参加した。それはヴァン・ドーエスブルグがワイマールで学生の熱いまなざしに答えているころだった。学生はシュレンマーとヴァン・ドーエスブルグの理論を学んだ。

モルナールはバウハウスにいる間に、一戸建ての家から、小さなアパートを含むさまざまなタイプのテラスハウスをデザインしている。

一九二三年の展示会でみせた一軒家のプロトタイプ「赤い立方体」は革命を象徴的に表しているようだ。ハンガリーに一九三三年に戻ったが、彼は多くの業績を残すことはなかった。戦争で傷を負い、ハンガリーで亡くなった。

祖国に戻った多くの卒業生達は、グロピウスの勧めで近代建築国際会議（ＣＩＡＭ）あるいは国際的な展覧会に誘われ、活動を続けた。

グロピウスは近代建築国際会議、バウハウスという学校、そして個人の建築事務所と、ヨーロッパ

の前衛運動の中心に多くの仲間を引き寄せる要であり、そのための魅力に長けていた。グロピウスには人の才能をみとめるたぐい稀な才能があった。だからこそバウハウスにはたぐい稀な教育人が集まった。

25章

日本人留学生

バウハウス、ライマン・シューレとイッテン・シューレ

日本で明治五年（一八七二）に小学校ができ、学費が無料になったのが一九〇〇年だった。ところが、先進国だったヨーロッパの教育制度はイギリスで公の予算で教育を受けるようになったのは一八七〇年だった。宗教革命から産業革命までの間の教育は、ブルジョワの家庭は小さな国家で、父親が道徳教育を家庭で行い、祈り、聖書を読んだ、あるいは宗教施設で神父が教育者だった。梅根悟は『西洋教育史概説一九五〇』でイギリス、フランスについて「この二国は共にほとんど新しい教育制度を創出しなかった。この二国の教育制度は一九世紀にいたるまで、ほとんど一四世紀のままであった。、プロセイン・ドイツではプロテンタティズムが国家主導の教育制度をつくっていった。イギリス、フランスに比較してドイツの国民教育制度は一歩先を歩いていた」とドイツ教育制度がヨーロッパ諸国では先進的だったことを説いている。

イギリスが一八八〇年代から一八八五年の間にドイツに輸出で追い越され、隣の国にならって学校に行こうと『メイド・イン・ジャーマニー』の著者が一八八六年に書いたのは遅すぎる提案だった。しかも階級社会のイギリスでは鉱山や工場の現場で働くエンジニアは、高い階級の師弟にふさわしい職能ではなかった。だから専門学校をつくっても良いエンジニアがイギリスで生まれるわけはない。当時の記事に、イギリスの工場で働く有能な技術者はドイツ人だ、となげいている。

先端を行くと評価が高かったドイツの教育制度では、第一次世界大戦後にモダンを求めて、ことに一九二〇年代のドイツ語圏で、アート、建築、デザインにかかわる学校だけでも、ワイマールのバウハウス、フランクフルト芸術学校、ベルリンのライマン・シューレ、シュトゥットガルトの美術学校、ベルリンのイッテン・シューレ等、多くが存在した。なかでも日本の留学生が学んだのはライマン・シューレだった。

水谷武彦、一九二六年、ドイツ、ライマン・シューレ入学、後にバウハウス（一九二七〜一九二九）
向井寛三郎、一九三一年、ドイツ、ライマン・シューレ入学（室内装飾、平面図案、建築）
山室光子、今井和子、一九三一年、ドイツ、ライマン・シューレ、イッテン・シューレに留学（色彩論、造形基礎、グラフィイクデザイン）

一九〇二年に開校した工芸学校、ライマン・シューレはライマン（Albert Reimann, 1874-1976）がベ

バウハウスを去ったイッテンがベルリンに作った学校、イッテン・シューレ（1926〜1934）。竹久夢二が講師となり日本画を教え日本人留学生も学んだ。

ルリンで開いた。その教育カリキュラムの特徴の一つは一九二〇年代になって女性の職能教育に力をいれ、染色、ファッション、ウインドーディスプレー、グラフィックデザインなどの学科があったことだ。

理論というより実践的な訓練に力をいれ、外国人留学生の就職にも有利だった。ライマン・シューレもバウハウスのように、展覧会、パレード、舞踏会などを開き、一九二〇年代の半ばにベルリンの名物になった。一九三一年に日本から向井寛三郎が入学した年に写真工房が、翌年三月に映画の工房ができ向井は技術の先端と出会う幸運に恵まれる。日本人の留学生の報告にはウインドーディスプレーの素晴らしさが繰り返し書かれているのは、電球が市民の生活を照らす前に、大型商店のウインドーを照らし、ライマン・シューレの実習にも効果的だったからだ。白熱電球はイギリスよりドイツでの普及のほうが早かった。

バウハウスは日本で一九二五年に『みづゑ』で紹介

FARBE UND FORM

16. JAHRGANG / APRIL 1931
HEFT 4

SCHULE UND LEBEN ZU DEN ABBILDUNGEN DIESES HEFTES

61

ライマン・シューレ広報誌『Farbe und Form』1931 年

され、堀口捨己、今和次郎や武田五一などが見学し、すでに話題になっていたにもかかわらず、向井はバウハウスをさけてライマン・シューレを選び、平面デザインを学んだ。彼の回想によれば、講義は週に一回だけで、後は平面図案の基本的な「型」を教え、「実際の力を基礎的につける」職業訓練的な仕事の型をたたき込む教育だった。ドイツ的な実業と合理精神に向井は感動した。

　水谷武彦は、ライマン・シューレとバウハウスの両方で学んでいるが、ライマン・シューレでは作品が雑誌に掲載されたほど実績をあげた。しかし、デッサウのバウハウスでは家具工房と建築科に所属したが、あまり興味を引かなかったようだ。水谷はモホリ＝ナジ、シュレンマーそしてクレーの論理を学び、マルト・スタムに集合住宅を学んでいる。

　一九三一年七月から約一年半、自由学園の八回生の山室光子と今井和子がイッテン・シューレで、色彩論や造形の基礎をヨハネス・イッテンから学び、今井はこれと並行してライマン・シューレにも通いグラフィックデザインを学んでいる。二つの学校で学ぶことができたのは、カリキュラムの時間割が午前と午後にわかれていたからだった。仕事をしながら学ぶシステムだった。

イッテン・シューレで日本人画家の水越松南が一九三一年に、竹久夢二が一九三三年に、日本画（墨絵）を教えたのは、ヨーロッパのジャポニズムの影響もあるが、イッテンの神秘的な精神主義と水墨絵技法が、一つにつながるところがあったからだ。授業の前に深呼吸と体操、瞑想、というのはバウハウス時代と同じだったが、水墨の前の瞑想も効果的だった、と留学生は回想する。

山室光子と今井和子が学んだのは丁度この二人の日本人画家が教員であった期間の狭間だった。

ライマン・シューレのカリキュラム

ライマン・シューレ一九三一年のカリキュラムは：

授業：月曜から土曜日

時間割：九時－一三時　　　五から七教科

　一七時－二一時　　　五から七教科

土曜日　九時－一三時

アトリエ：八カ所。

ライマン・シューレ広報誌『Farbe und Form』の表紙、1932年

授業内容：透視図、装飾、グラフィック、女性モード、男性モード、スポーツのモード、表現主義の絵画、水彩画、ポスター、イラスト、モデリング、テキスタイル、金属加工、ポートレイト、解剖デッサン、写真映像、ポスター、機械器具などの精密デッサンなどの基礎訓練。

次にテーマごとの表現。

デカダンスの時代のイラスト、演劇のための舞台装置、時代の風潮であるエロチックなイラスト、情感あふれるイラスト、二〇年代から三〇年代の庶民の娯楽、遊び、食事、踊りなどのイラスト、建築インテリア、都市計画、直線で装飾がないモダンモードの演習、抽象的で巨大な彫刻、ショーウインドーディスプレイ、包装のデザインなどに進み、その間に学外で美術館見学、動物園でのデッサン演習などがあった。

一九三〇年ライマン・シューレの広報誌『Farbe

und Form』の記事には「建築と文化、子供のための造形、最もモダンな舞台と衣装、カメラの普及による美術的な写真の取り方、工業デザイン関連の紙面に、アールヌーボー装飾の手本、ＡＥＧのショールームの写真、ドイツ工業製品。モダン・デザイン、産業文化論」などが掲載され、出版情報、美術用具、集会案内、演劇情報など文化にかかわる広告が掲載されている。学校はナチにより閉鎖され、ロンドンに移転したが、再度閉校したのは一九四三年。アガサクリスティーもライマンのロンドンの学校で写真を学んだ。

天啓、ライマン・シューレ

ライマン・シューレは広報誌『Farbe und Form』を発刊した。その五冊がある日、筆者の頭の上に降ってきた。大学卒業以来数十年の間に七回の移転に付き添ってきたこの雑誌は、千葉大学合格祝いだった。浜松北高校三年の初めに、経済的な理由で医学部進学をあきらめていたとき、高校の美術の井口清先生が「僕が卒業した千葉大学工学部の工業意匠学科にしなさい。これまで理系の勉強をしてきたし、少しは絵もかけるから」と推薦していただき、合格の報告に行った日に手渡されたものだった。

一九三一年から三二年までの五冊の『Farbe und Form』が頭に落下した痛さは、バウハウスではないデザイン学校があったよ、と一九三〇年代にはすでにドイツの情報を得ていた当時の井口先生

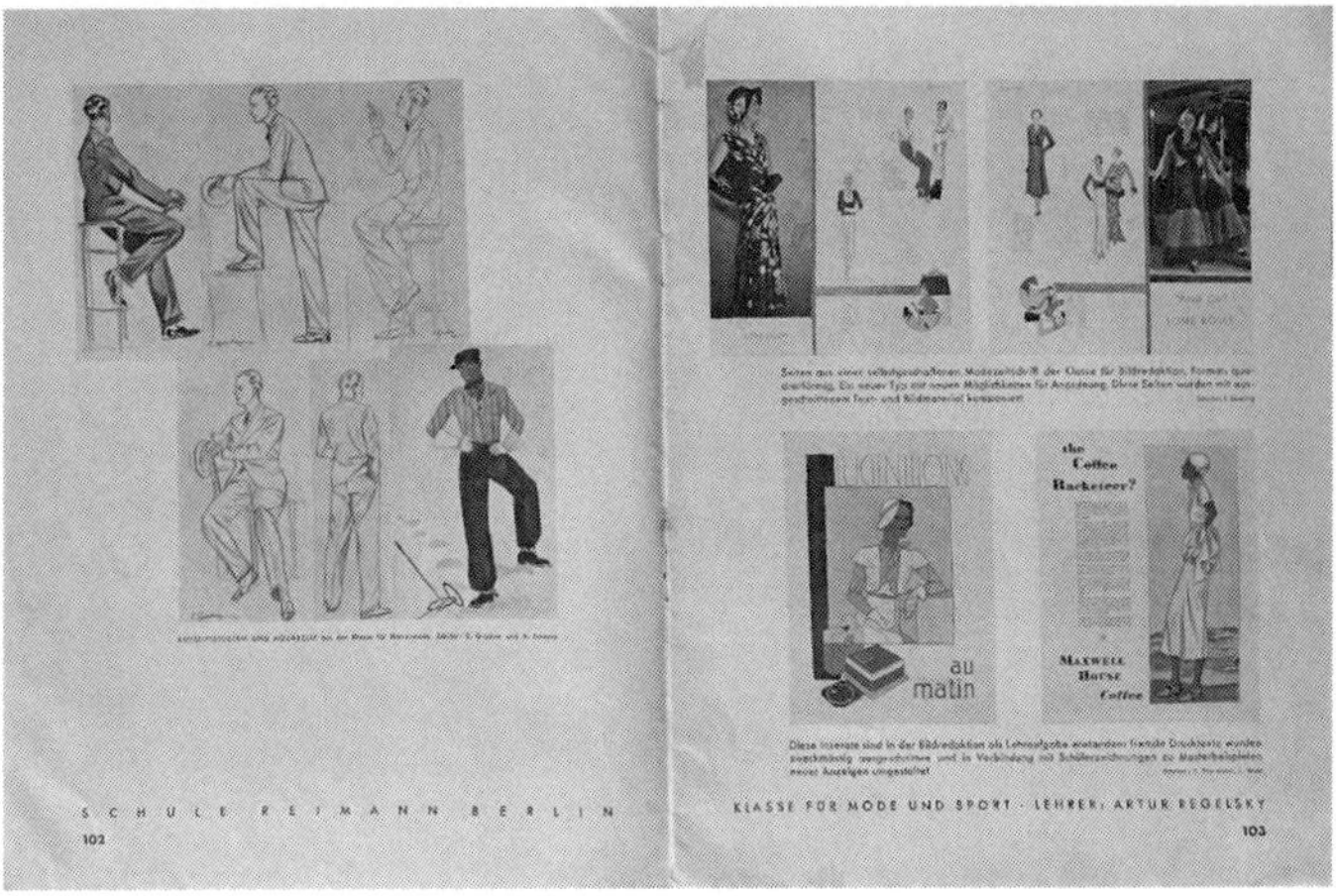

ライマン・シューレ広報誌『Farbe und Form』の中のページ

など学生の意欲を知らせるが、先生は千葉大学工学部の前身、東京高等工芸学校で同級生だった塚田敢（元、工業意匠学科の色彩の教授）先生と親しかったようだ。

雑誌落下の日は、モスクワにあったブフテマスというもう一つのバウハウスの資料を探す予定だった。『Farbe und Form』の棚からの落下は天啓というに相応しい事件だった。

『Farbe und Form』五冊のページには、デザイン、工業製品、授業風景、教員と学生の作品など以外にも、一九三〇年代のドイツの若者、教育、流行、スポーツ、レジャー、旅行などを写真で紹介し、金属の試作品、サインデザインなどがあり、バウハウスと同等の質だった。バウハウスに隠れ、ライマン・シューレもイッテン・シューレも日本で語られることはなかった。

大学の同僚から受け取ったオルブリッヒの作品集

を開けたのも、同じ日だった。バウハウスがバウハウスである道を牽引したドイツモダン建築運動の先駆者、オルブリッヒの仕事の圧倒的な量に驚く。建築家の役割がどんなものであったかも発見した日だった。

この二つの資料の再発見がなかったら、本書は陽の目を見なかっただろう。

26章 ペリアンと山荘で

ペリアンと柳宋理

金属パイプの長イス（シェーズロング）にゆったりと寝そべるシャルロット・ペリアンの写真は、モダンな長イスのイコンとなった。だが木材でもまたペリアンの手腕は見事な形を生む。積層合板に切れ目を入れ、裁断し、曲げる。たった一枚の板から四本の脚、座、背もたれができる。その「オンブルチェア（OMBRE CHAIR）」は一九四〇年に彼女が日本に招かれてデザインし、一九五三年に天童木工で生産されたものだ。

積層の板を曲げた柳宋理がデザインした椅子「バタフライチェア」も一九五四年から同じ天童木工で生産され、日本人がデザインした椅子の名品の一つとなりMoMAの収蔵品でもある。

二人のデザイナー、ペリアンと柳宋理は一九四〇年代に日本の伝統工芸技術を基本にしたモダン・デザインの可能性をさぐる旅にでた。仙台の工芸試験所に招聘されたペリアンのガイド兼フランス語通訳は柳宋理。当時フランス語ができるたった一人の日本人デザイナーだった。その旅の成果は、数々の展覧会で公表され、日本とモダン・デザインへの掛け橋をつくった。

天童木工のデザイナー菅澤光政さんに請われてパリのペリアンの自宅を訪ねたのは一九九四年。生産ライセンス契約延長の交渉だった。パリ中心にあった彼女のアパートの一室は小さなキッチンと居間がハッチバックの上に下がった短い簾で仕切られたペリアンらしいインテリアで、コルビュジエに提案した最初の作品を思わせた。

その訪問で、ペリアンから思いがけない声がかかった。というのは、訪問の一年前にパリ・ユネスコ本部大茶会のための「茶室」をデザインし、それが嬉しくて、もう少しその喜びを延長したいから、筆者に夏休みを過ごす山荘でおしゃべりしましょう、という誘いだった。

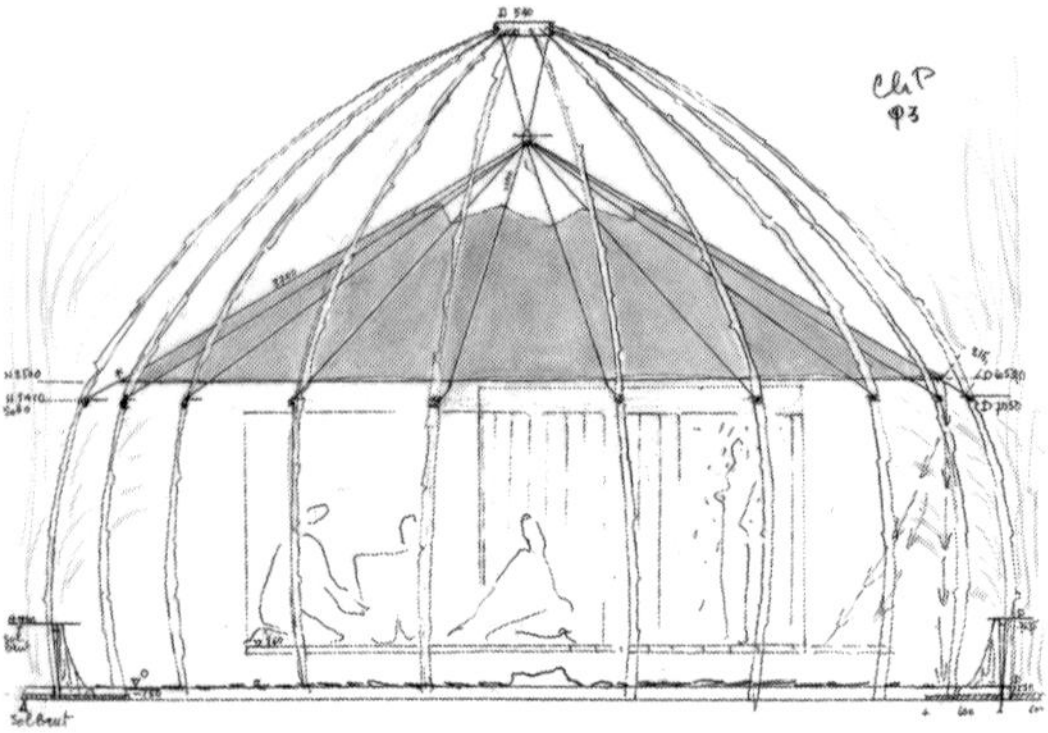
ペリアンデザインの茶室

柳宋理の元気な姿をペリアンへの土産にしようと思いついた。八ミリのムービーカメラをかかえて、彼の事務所の扉をあけて、目に飛び込んできたのは、白い煙と工具と騒音だった。一九九〇年代のデザイン事務所だから当然コンピュータが並ぶのが当たり前だったが、所長とその弟子達

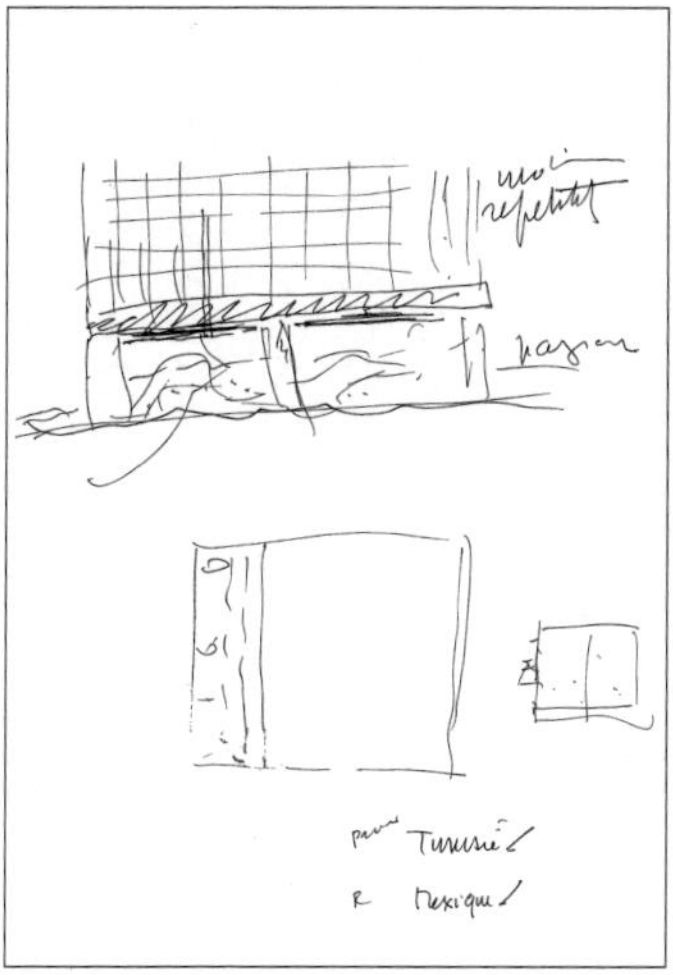

シャルロット・ペリアン
チュニジア館、メキシコ館

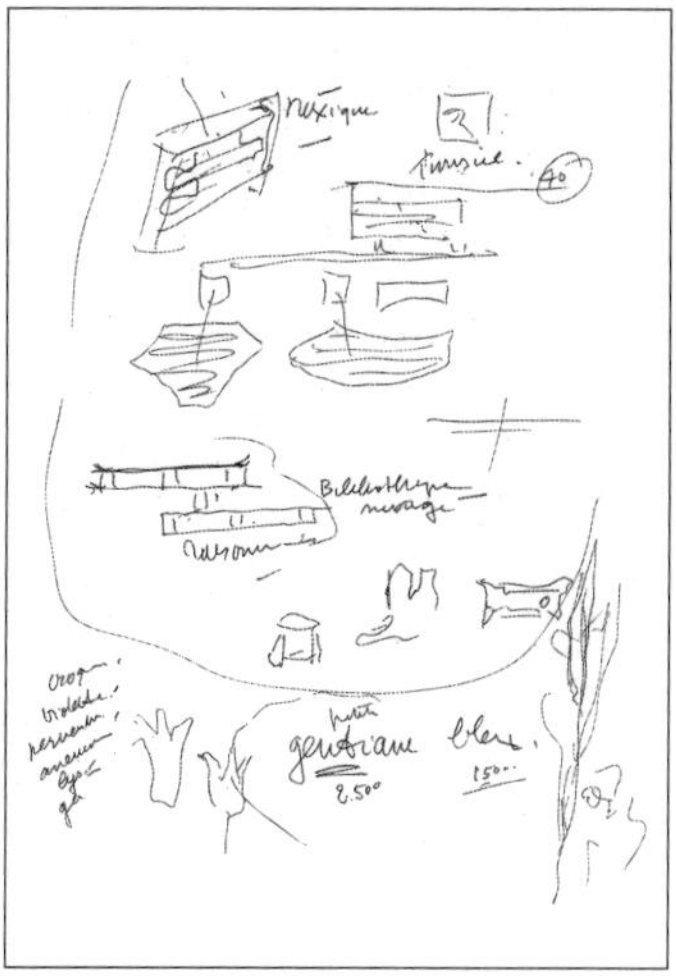

シャルロット・ペリアン
雲の書棚ができるまで。

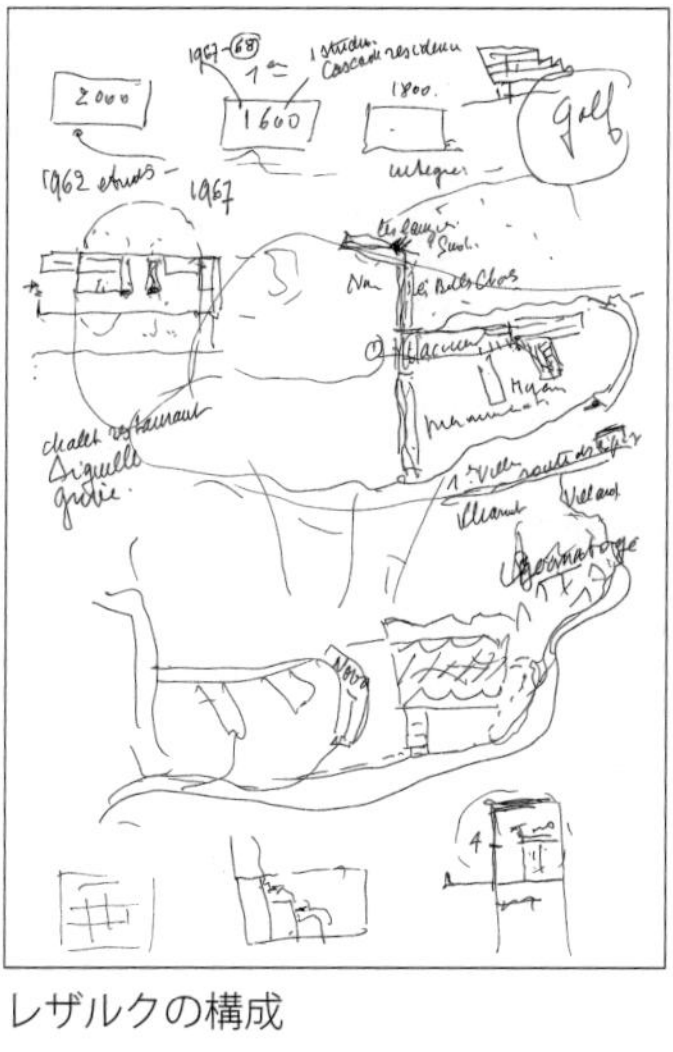

レザルクの構成

国連の庭に作った茶室。
ツバメが来てねと、飛び立つ。

はかたくなに埃にまみれて手を休めない。心ゆくまで白い石膏をけずり、木材を削り、作業はとどまることがなかった。

笑顔の柳さんに、ペリアン訪問を告げ、土産用の撮影許可をいただき、「愛してるよ」（ジュテーム）と一言ほしかった。だが、それはかなわず口からこぼれた一言は「元気ですか」だった。

柳宋理と彼の仕事についての会話の中で、「一つだけ心にのこった事がある。数々の仕事のなかでも東京オリンピックのころ造った歩道橋だ」。デザインをまかされた柳は、「あんなものはデザインするべきではなかった。車より人間優先のほうが正しいから」と言った。

一九九五年九月モンブランのふもとにあるペリアンの山小屋を訪ねた。丘の斜面にぽつんと建つ一軒家の前庭に人影。ペリアンが手にしていたのはインゲン豆、コンニチワの挨拶もすまないうちに一緒に豆をむこうかと、にこやかに誘われ、お土産を差し出す暇さえなく、豆を手にし、旅はどうだったかなど、よもやまばなし。豆をむき終え、手招きされたのは地上階のテーブルの前。大茶会を思い出しながら「本当はね、もう少し大きな池がほしかったのよ。そしたら、ツバメがやってきてチチチって囀りながら、茶室の近くまできてね」と何度も肩をすくめて、鳥が羽ばたく真似をしながら、鉛筆で小鳥の足取りを素早くデッサンする。ペリアンの記憶力は驚くほどだ。まだコルビュジエと会う前、最初のデッサン、日本で出会った違い棚、学生都市チュニジア、メキシコ館の棚、山小屋レザルク、そして茶室まで、頭に浮かんだイメージをそのまま紙のうえに定着させる。いつでも手元に紙と鉛筆があった。だが一人として人名は出てこなかった。

ペリアン――アイリーン・グレイに肩をすくめて

たった一つだけ質問を用意していた。それは彼女と同世代の、イギリス人デザイナー、アイリーン・グレーをどう評価するか、だった。グレーも日本人の漆作家について学び、その時代にデザインした漆の家具が彼女の成功を導いたからだった。二人とも日本から多くを学んだ。グレーの日本とペリアンの日本、二人の日本文化の受容の違いを問いたかった。

コルビュジエが最後に建てたキャップマルタン、海辺の小屋は、アイリーン・グレーの別荘〈E1027〉の横、というよりグレーの家があったからコルビュジエはこの地を選んで自分も小屋を建てた。しかもグレーの心地良いモダン住宅に嫉妬して、コルビュジエは彼女の留守に勝手にグレーの屋敷に壁画を描いてしまった。ということは互いに反目しながらも気になる存在ゆえの行動だったから、この事件にペリアンも無関心ではなかったはずだ。といってもペリアンがコルビュジエと仕事をしたのは一九五〇年代までで、日本から帰ってきた後は、ジャン・プルヴェと仕事をし、家具業界から離れたことはなかったから、グレーの仕事には興味があったはずだ。

アイリーン・グレーは若き日に日本人漆作家、菅原精造の指導でモダン漆屏風をデザインした。グレーの出世作の屏風は、ペリアンの桂離宮の違い棚に発想を得た「雲」と同じ発想だ。しかも、グレーもまた後にパイプ家具に挑戦している。同じ時代に同じアイディアでモダンを目指した二人だった。アイリーン・グレーが晩年に自宅でインタビューに答えるテレビ番組のシーンに釘付けになった。

彼女の後ろには、クラシックな様式の家具があった。もちろん都会の自宅はクラシックで、別荘はモダン、という選択は多くの金持ちの習慣だが、まさかアイリーン・グレーが、様式家具とモダンを使い分けているとは予想外だった。それに比較すればペリアンの住まいと別荘は、どちらもペリアンらしい木質モダンに染まっていた。

結論から言えば、ペリアンは、筆者の質問に肩をすくめて答えただけだった。他者にたいして口を挟まないペリアンらしい表現だろう。師匠のコルビュジエに対しても同じだった。シェーズロングなど家具のデザインは、ほとんどル・コルビュジエ、オザンファン、ペリアンの連名で公表されてきた。だが最近ペリアンの娘の調査で少なくともシェーズロングの最初のデッサンがペリアンのスケッチブックにあったことが判明した。だがペリアンは存命中に一言も異議を申したてることはなかった。仕事が楽しければそれでいい、それがペリアンなのだ。

山小屋「レ・ザルク」のペリアン

モンブランに面したスキーのゲレンデがある「レ・ザルク」に建つリゾート施設のデザインは、スキーなしに冬が過ごせなかったペリアンにとって至福の仕事場だった。もしかしたら、彼女の生涯の願いはレジャー、休むことをデザインすることだったのかもしれない。開発から五〇年以上になったが、ペリアンは八六歳まで二〇年間にわたってここで腕をふるった。建築空間はもちろん他のリゾートと一味ちがうのは、ここには車が通らないことだ。

開発をはじめた一九七〇年代といえばスキーはまだ金持ちのレジャーであり、庶民には手が届かなかった。だから低料金で家族が楽しめる、狭いながらも充実した設備と景色を提供し、スキー以外の季節には散策で楽しめるように、がこの宿舎の方針だった。庶民とともに、というペリアンの姿勢は、女性解放運動の集合写真でも顔を確かめることができるが、決して積極的な活動家ではなかった。当然、ユーモアのわかる、社会主義者で、異なる文化を自分の懐にいだくことができ、日本から帰国直後、一九四九年に木材に目覚め「六角形のテーブル」を発表する。

「だって有機的な形でしょ、木は重いでしょ、しかも肌のような質で、この木の脚は女性の太ももでしょ。このテーブルが芸術的なセンスで実に使い心地がいいの。というのは表面のトップは六角形でも、脚は三本だけ。だからたくさんの人の脚がはいるんです。たくさんの人々が座るテーブルって社会的なものだから。どんな場所にも、どんな向きでもいい、だから狭いスペースに都合がいいでしょ」と。これがペリアンのデザイン。日本の炬燵を思い浮かべながら、どこからで

ペリアン、６角形の机、畳み机

ペリアンがヒントを得た修学院離宮の違い棚

ペリアン、チュニジア学生会館、間仕切り棚

も脚がのばせる木の机をデザインした。四角ではなく六角形で。木材の机のシリーズは二〇一九年パリ・ルイヴィトン美術館でのペリアン展の直前に、オークションで一〇〇〇万円という高値をつけた。

ヨーロッパには家具の骨董商が多い。様式家具が中心だが、近代家具も目立つようになった。ペリアンの家具のレプリカを扱う店は、彼女の生存中に店舗を構え、取り扱う作家にはジャン・プルーヴェなどモダンばかりだが、イサム・ノグチの「あかり」もまた店頭を飾る。様式家具に作者はいないからレプリカも商品になるが、近代のものは作者との契約が必要だという。後世にデザインの道のりを知らせる、という義務もあるから、と店主はモダンのオリジナルと再販に情熱を傾ける。

棚の常識を覆したのが、桂離宮の「違い棚」をヒントに、さらにスタンダードな寸法で、日本の伝統建築を手本にしてデザインした棚「NUAGE　雲」だ。基本のパーツは、オーク材にナチュラル塗装をした棚板、構造体にアルマイトのパネル、引き違いになるアルミのパネルは赤・青・緑・黄・白など。このパネルを左右に動かして、色をかえたり、隙間をなくしたり、棚でありながら壁にもなる、という建築パーツにも近い構造の棚が「雲」だ。使う人間が創造の世界に呼び込まれ、空間を区切る壁に変身する。質素な学生の下宿に、またクラシックな部屋にも似合う棚だ。階級社会にはりついた様式から離れたモダン家具を評して、「金持ちでも貧しくても、同じ家具が似合う」とペリアンは言う。

ここが、アイリーン・グレーとの差だろう。日本の漆家具の美しさを、幾何学的なモダンな家具にしたのは確かだが、彼女の作品はまさに、工芸品の域をこえることはなく、金持ちのためのモダンに終始した。最晩年のパイプとガラスのテーブルでさえ、庶民の手におよばなかった。ペリアンの棚「NUAGE　雲」のデザインは、パリの国際学生都市にある学生の宿舎、ブラジル館のためだった。

ユニットバスと畳

レ・ザルクのデザインで彼女が自慢するのは、バスユニットの導入だった。日本のデザインにすっかり参ったの、と笑顔がこぼれる。一九六三年、東京オリンピックまじかのホテルの建設は急ピッチだった。一〇〇〇室を越えるホテルニューオータニが工期を短くしようとして考えたのがバスタブのプレハブ方式だった。FRP（繊維強化プラスチック）の浴槽と天井、床をそれぞれユニットにして、工事期間の短縮に成功した。フランスに日本からユニットバスが届けられ、それを量産するフランスの製造現場にあわせて変更を加え、労働者が過ごすリゾートに浴室ができた。浴槽があるだけでも、フランスでは贅沢なのだ。

レザルクの部屋は、数人が寝泊まりするベット、キッチン、浴室、居間が間仕切りなくつながった空間だった。出入り自由の空間もそうだが、いたるところに日本がある。ベンチにクッションではなく座布団、天井からイサム・ノグチの「アカリ」があわい光をとどける。

至る所に日本、というペリアンのきわめつきは、寝室だった。彼女が住む山小屋の二階に案内され、襖を開けたら八畳の空間。日本から輸入した本物の畳に目をやり、ちょっとだけ肩をすくめた。ペリアンの娘、ベルナデットが孫娘をつれてやってきて、意外な話にはなが咲いた。一九九〇年代、パリの国際大学都市にあるブラジル館（学生宿舎）改修があり、ペリアンの棚「雲」が大通りに廃棄されていた、という連絡を受けたベルナデットと仲間は、大急ぎで回収に走った。

スイス館がル・コルビュジエの設計というのは、知れ渡っていたが、ブラジル館もまた同じコルビュジエの作品だったから、棚もペリアン作ということに、館長は気がついていただろうか、と娘は首をかしげた。

九七歳のペリアンと、笑い、おどけ、時にははにかみ、ペリアンとの三日は夢のようにすぎた。山小屋での空気のすがすがしさもさることながら、わだかまりが何もない、真正直な女性に巡り合って幸せだった。デザイナーでなかったら、きっと躍動感にあふれる芸術作品をのこしたにちがいない。彼女の身の回りには、石、貝、干からびた海藻、虫の抜け殻、などがいっぱいころがっていた。それは柳宋理の愛したものと同じだった。いや、ル・コルビュジエの晩年と同じだった。

27章

ドイツ家電戦争――モダンな家電は女性を開放したか

家電製品とドイツ

ドイツの家庭に電灯が灯ったのは、一八八一年にドイツAEGがアメリカのエジソンから白熱電球の製造特許を買い、家庭向けの電気施設が整備された一八九〇年代だった。電灯が最初にドイツに普及した家電製品だった。とはいえ以下のリストにある、家電製品の開発のほとんどはアメリカだった。ドイツでの改良はあったが、アメリカ企業のヨーロッパ進出拠点となることなくして、ドイツ家電生産とその輸出量はイギリスを追い越せなかったはずだ。

一八七六年、電話
一八七九年、エジソンの白熱電球、竹のフィラメント完成

一八七九年、電動扇風機
一八八七年、電気暖房装置
一八八九年、電気オーブン
一八八九年、電動ミシン、アメリカ、シンガー社
一九〇一年、電動真空掃除機

電動掃除機はイギリスの技師、ヒューバート・セシル・ブースが考案した。当時は電気のある家庭はほとんどなく、掃除は出張サービスだった。最初の家庭用ポータブル電気掃除機は、アメリカのチャップマン・アンド・スキナー社が一九〇五年に開発した。

一九一〇年、ラジオ受信機
一九一三年、電気冷蔵庫
一九二八年、テレビ受像機

日本の家庭の電化は、夏目漱石の『三四郎』（一九〇九年）で「この家ではまだ電気を引かないのか」「まだ引かない。そのうち電灯にするつもりだそうだ。ランプは暗くていかん」というせりふがある。明治から大正にかけて（一九一〇年代）やっと家庭に電灯がともり始めた。とはいえ一九四五年の戦

後になるまでは国産の家電製品でも、一般家庭にとっては高値の花だった。

ドイツではワイマール時代（一九二〇年代）に電灯でモニュメントを照らしたり、「ショーウインドウ・コンテスト」などで盛んに夜間にウインドーの商品に照明をして、電力、電灯、電気器具の魅力を市民に見せ、それをきっかけに電気器具は家庭に普及した。

エルンスト・マイ、ドイツの団地のモデル、システム・キッチン

ドイツの二〇世紀初頭の建築家の一人、エルンスト・マイの名前が語られることはほとんどなかったが、ワイマール時代に、彼が設計した一九二〇年代の住宅：フランクフルトのニーダーラッド (Niederad) は、住宅近代化の原点ともいえるものだ。白くて、直線で、といったモダンな外観ではないが、近代住宅にどのような機能を与えたかの典型がみえる。ニーダーラッドは六四三戸、一部屋から三部屋まで、全ての住宅に浴室、フランクフルト台所（システムキッチン、オーストリアの女性建築家マルガレーテ・シュッテ・リホッキー Margarete Schütle-Lihotzky、との共同設計）、セントラル暖房、屋根裏部屋があり、住宅に庭園もしくは屋上庭園がついていた。フランクフルト・キッチンが評判だった理由は、台所での家事にかかわる導線を調べ、その動きに従って水、火、などの器具を調理の手順に従ってレイアウトし家事の合理化を形にしたからだった。

勤労者の住宅だったからキッチンも当然狭く、一・八七m×三・四四m（六・四三㎡）だった、と当時

の資料にある。狭いといわれたが、フランクフルトキッチンが当時の中流の一般的な台所面積の三分の一程度だったからだ。とはいえキッチンだけで六㎡だから狭いとはいえないだろう。

日本の畳の広さは地域によって異なるが、団地ができた時代には畳も団地サイズという一畳、一・四四五㎡のサイズができた。２ＤＫというあこがれのダイニングキッチンは、二畳＋キッチン、つまり二畳（約三㎡）の食堂がついて、流し台つきキッチン、つまりフランクフルトキッチンの半分ほどの面積だった。日本の畳は時代によってサイズが変化した。関西の京間の一畳は一・八二㎡、中部では一・六五、江戸は一・五四、そして団地で一・四四、と畳は時代が下るごとにサイズは小さくなった。２ＤＫといっても三㎡から三・六㎡という差がある公団住宅だったが、その２ＤＫが庶民のあこがれだった、というほど日本の住宅事情は貧しかった。

マイの労働者向けの設計図には、お手伝いさんの部屋もある。これも日本での労働の概念とちがうが、家事を重労働と考え（今でもその慣習は残っているが）できる限り主婦以外の手で、という習慣がいまでもヨーロッパには根強くある。だから一九二〇年代の労働者もまた、山村部から都会にでてくる女性などを雇い、家事をまかせたから、一般労働者の住宅にも女中部屋が必要だった。

家事の中でも大変な重労働は、アイロンかけ。衣類にアイロンはもちろん、シーツ、テーブルクロス、そしてナプキンのアイロンは欠かせない。だからフランクフルトキッチンの壁に折り畳み式アイロン台を掛け、必要な時に台を下げて、アイロンを掛けながら、調理の具合を見ることができるタイプもあった。一度に二つの家事がこなせる機能が歓迎されたのは当然だった。調理とアイロンがけを同時にできるキッチンのユニットはフランクフルトだけでも一万台も生産され、安くなり、低賃金の労働者の住宅にも採用された。

お手伝いさん（女中）が日本の豊かな家庭から消えたのは、戦後の一九五〇年以降になるというが、住み込みでないヨーロッパのお手伝いさんは、日本以上に庶民の家庭にも見られる。その仕事は、炊事、掃除、洗濯、買い物、子供の世話、庭仕事などだが、裕福であればそれぞれの仕事を別のお手伝いさんが引き受ける。フランクフルトキッチンで、なぜアイロン台が好評だったか、といえば一人のお手伝いさんで二人分の仕事ができたからだ。

当時、同じような労働者住宅を設計したブルーノ・タウトもまたこのキッチンを採用した。だがこのシステムには問題があった。具体的には、一人が動けるだけのスペースしかなく、ストックする物の容積が均一すぎる、などなど。それは後世にこのキッチンが住民によってどのように改修されたかを見ればわかる。というのはキッチンのヒントは一度に一〇〇人分の料理が提供できる食堂車の狭いキッチンだったからだ。しかもこの家事労働の合理化理論は、アメリカのテイラー主義といわれた労働を管理する思想の反映でもあった。家庭内の労働、つまり、非生産的な労働を減らせば、女性も工場などで生産的な労働ができ、同時に女性の社会的な地位の向上にもつながる、と考えた。

このシステムキッチンが普及し、女性解放運動にもつながることになった原因の背景には第一次世界大戦がある。数カ月で終わるとだれもが考えていたにもかかわらず、四年間も続き、その間に戦争に駆り立てられる男性にかわって、鉄道や自動車の運転あるいは兵器工場での作業が女性に任された。

職業をもつ女性が生まれ、家事にかかわる時間の節約は必須だった。さらに、女性のサラリーは、これまでにない消費を喚起した。家電製品が不可欠になり、売れ始めたというのは、今までにはなかったこの女性収入の後ろ盾があったからだった。もう少し働けば、あれが買える、クレジットで購入出来るシステムさえ導入されはじめた。つまり、大量生産というのは大量消費者がいるかどうかで決まる。大衆という消費者が育った原点は、一九一四年に始まった戦争が必要とした女性の労働収入にあった。

家電は家庭に

世紀末に登場した小型の家電製品はワイマール期に普及しはじめ、ドイツ全家庭の電化、というユートピアに向かって業界と市民の夢を膨らませた。一九二〇年代のベルリンでは、アイロンは五〇％の家庭にあったが、電気掃除機は二五％。電気料金が高い冷蔵庫や洗濯機のある家庭はほとんどなかった。ところが例外があった。それは振興住宅地。たとえばフランクフルトのレ・マ・シュタット団地（一一八二世帯、建設期間一九二七年から一九二九年）。これは「大卒の団地」とあだ名されるほど、金持ちインテリ中間層の団地だった。

この団地ではすべての住宅に、ラジオの接続端子、浴槽、そしてシステムキッチンの先祖となる「フランクフルト式キッチン」(Frankfurter Küche) が完備され、電灯はもちろん一九二九年のドイツ全国でわずか三万台しかなかった電気コンロが全戸に設置されていた。出力五四〇〇Wという電気コンロには、なんと石炭コンロが付いていた。効率に問題があったというより五四〇〇Wの製品では電気料金があまりにも高くなったので、石炭併用もやむをえなかった。

キッチンと浴槽につかう電気給湯器は、部屋数や使う人数に関係なくすべての住宅で八〇リットル（日本の一人暮らしの浴槽は五〇リットル）だった。浴室にも電気ストーブがあった。当然各部屋のコンセント数も一家の家電の数と同じ数がそろっていた。「電気レ・マ・シュタット団地」と呼ばれたり、「アメリカ団地まがい」ともよばれ、見学者は絶えなかった、という。現在と同じように安い夜間料金が二二時から朝六時まで設定されていたから、市民のエネルギー革命ともいうべき電化は、一日八〇リットルの湯で家族四名が体を清潔にするため、曜日を決めて、時間を決めて、順番に、というような電化のための生活リズムをつくった。ゆっくり湯船につかる、などという贅沢はなかった。いまでもヨーロッパの家庭ではシャワーが主であり、しかも毎日とはかぎらず、浴室には汚れを落とすためという機能を求めるだけで、精神的なゆとりを求める文化は育っていない。ということはレ・マ・シュタット団地の住人には充分すぎる湯の量だっただろう。

アイロンの普及は比較的早かった。家庭内の労働のうちで比較的時間のかかる面倒な作業だったからだ。衣服にアイロンは普通だが、ヨーロッパのアイロン掛けで驚くのは下着とテーブルクロスとナプキン。なぜ下着にまでと思うが、実は病原菌がつくから、というのが理由らしい。そして来客のための食器とカラトリーを入念に選ぶように、ナプキンとその下にあるテーブルクロスもまたアイロンがかかった状態でなければならない。ナプキンとテーブルクロスに皺があるのは、主婦いやその家庭の恥、というのが現在でも生きている。つまり、この二種類の布を食卓で豊かさの印として見せるからだ。すくなくともパリにはいまだにアイロンかけだけを専門にするクリーニング店がある。だからアイロンがけという家事が食事の支度をしながらできる、というレイアウトのキッチンは一九二〇年代には、途方もない福音だった。

家電のモダンは女性を助けたか

二〇世紀初頭の家電製品の普及は目覚ましかった。普及といっても家電という小型の機器が買える消費者が育っていたかどうかが問題だ。ということは小型家電製品は、少数の資本家家族や、中産階級にむけての開発ではなく、労働者という圧倒的な人口を占める消費者にむけてが目標だったから、低価格でなければならず、しかもそれが男性商品ではなく女性商品である必要があった。

電気だけでなくガスという二つめのエネルギーも家事を助けたが、両者ともまず台所の熱源と屋内外の明かりとして使われ、ガスより電気の利用領域のほうがはるかに広かった。中でも明かり、としての電灯がもたらした家事への効果は以外なところに波紋を広げた。

電灯が室内にともり、ガス灯時代より屋内の空気がきれいになり、台所の石炭オーブンと電気オーブンも空気をきれいにする効果があった。さらに電灯の明るさはガス灯とは比較にならないほど室内

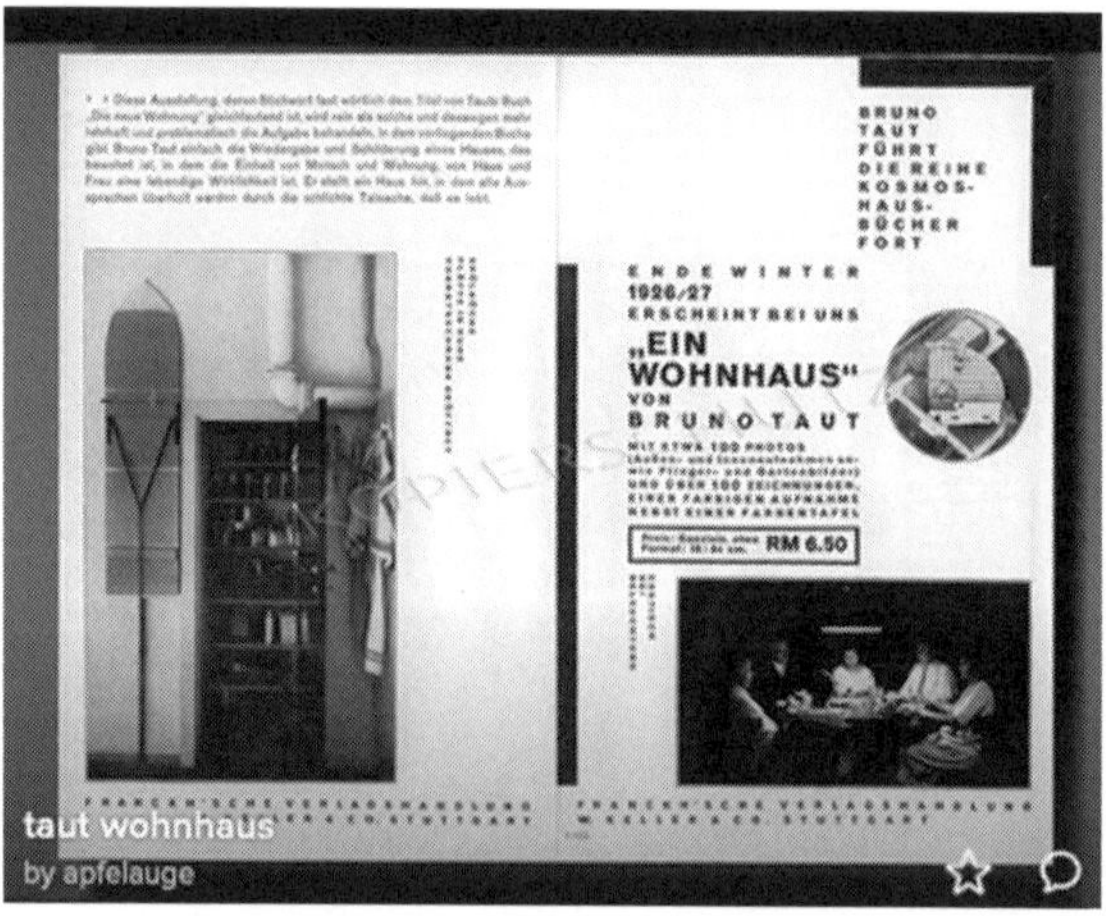

ウエルクブンド会誌DIE FORM。フランクフルト、システムキッチンとアイロン台『Die Form』、1925年。

のすみずみまでも明るく照らした。ここまでは福音だった。だがその結果部屋の汚れがめだつようになり、電灯は清潔革命に拍車かけ、掃除に時間がかかるようになり、家事労働を軽減する効果はあまりなかった。

電気アイロンの普及も生活を変えた。一九三〇年代には労働者の家庭の六〇％が所有し、アイロンの掛け方のうまさが主婦に求められ、アイロンかけのうまさが家事の「専門家」を生んだ。

家事合理化のために家電製品を購入し、女性の屋内の仕事を楽にする、などという単純な効果はなかった。イギリスを追い越そうとしていたドイツは増産に励み、イギリスの次にアメリカの産業技術と手を組んで、自国製品の品質向上に邁進し、その消費者をまず国内に見つけなければならなかった。そのためには労働者階級の家庭収入（男女の）を増やし、購買意欲を増すための広告を新聞、ポスター、雑誌、商店のウインドーなどに出し、これを利用して購買意欲をあおった。

つまり、労働者の家庭、女性の労働（家事）を軽減すれば、女性がより長く働くことができ、産業にとっての賃金効率もよくなり、アメリカという強敵に勝つ手段であるかぎり、家電製品の普及が国家の課題となった。

そこでは、労働者家庭の「無駄」が、ドイツ経済の弱さの原因だと思われていた。この考えは、ワイマール時代のブルジョワ女性運動も、社会民主党や共産党も同じだった。家電製品が購入されなければ消費は喚起されない。主婦が家庭で無駄を省き節約すれば、消費は増し、国力がつくということになる。

とはいえ家庭生活の機械化が進んだり、家電製品購入がふえても、家事が女性の役割ということには変化はない。第一次世界大戦前から購入が進んだのは調理器具では挽肉機、皮むき器そして内職用のミシンだった。家事合理化のためのフランクフルト・キッチンでさえ、国民生活の合理化というより、ドイツ産業振興のためだった。

勤勉革命——消費者は育ったのか、量産の条件

ドイツでの工業製品の品質向上に成功した背景には、マイスター制度などの職人養成による技術の進歩もあるが、一九世紀初めにはイギリスよりも国民の所得分配が平等だったことも原因だった。つまり、イギリスの労働者よりドイツの労働者のほうが収入が多く、だから有望な消費者が生まれ、ド

イツ国内市場が潤い、量産の勢いが増した。しかもドイツがイギリスを追い越す人口増があり、当然消費者の数は増した。

一八七〇年のドイツ国民の一人あたりの所得水準はイギリスやベルギーより低かったが、一九一三年には二倍になり、ドイツの人口はイギリスとほぼ同じ二三〇〇万人だったが、一九一三年にはイギリスの一・六倍の三八〇〇万人になった。ドイツ消費者の購買力は数でも金額でも一九世紀末から二〇世紀初めにかけて大きく飛躍した。この経済的なユトリは生活必需品にはじまり、次第に贅沢な商品の消費にも結びついたようだ。

生産以前に消費者を育て、欲しいと思わせてはじめて量産品の生産と販売の戦略がたつ。

ただし気をつけなくてはならないのは、自立する女性が増えはじめた一九二〇年ころの、一家の所得が男性だけの所得だったのか、妻の収入との合計だったのか、だ。女性の稼ぎと男性とを合わせた収入が多くなれば、多くの商品を購入しようという勢いにはずみがつく。ドイツで量産品が売れたのは家父長制度がこの時点でくずれ、所得のある女性が多くなった、ということになる。いや、男女ともにもう少し働けば、もっと良いものが買えるから労働時間が多くなってもいいと思っただろう。高級な商品ではなく、日常のファッションや家電製品の購入に火がつく。ここで大きな役割を果したのが広告に多くのページをさく安価な女性雑誌だった。

この時代のドイツにデザイン運動、ウエルクブンドとバウハウスが生まれた。工業製品に光があたるためには、働く女性を含んだ一般消費者という経済層が育ち、購買意欲にあふれなければ、量産のめどは立たず、バウハウスは成功しなかった。

モダン・デザインは健康願望が生んだ清潔革命だった

いや、イギリスの産業革命より前に、長時間労働に好んでチャレンジする労働者が現れた。この好んで長時間働く労働者の行動を「勤勉革命」と命名したのは、オランダのジャン・ドゥ・フリース(Jan de Vries)だ。勤勉革命があるから、その結果消費が増し、その需要にあわせて産業が大量生産をはじめ、産業革命に至る、という理論だ。量産から購入ではなく消費から生産へと逆転し、強制されて長時間労働をしたのではなく、より豊かに暮らそうとして、女性も子供も、家族がすすんで長時間労働を好んでした、とドゥ・フリースは語る。勤勉革命は、より多くの商品を買いたい、もっと働けば買える。何を具体的に買ったのかをオランダの相続書類を調べたドゥ・フリースは、庶民が買ったものは、病気にかからないための家具などだった、という。

一八世紀にはチフスが流行った。その病に直面して消費者は清潔な家、清潔な衣服(チフスを媒介するシラミがわかない)や清潔な家具を購入した。(同時に都市の下水などの整備改善も必要だった)。勤勉革命の主人公は、貿易商人、商人、稼ぎの良い職人などだったが、この集団の層が厚かったから消費も増えた。健康的な生活であるためには、時間をかけずに掃除できる簡素な住空間と器具のデザインが必要になる。

一八世紀のこの勤勉革命では女性も労働者だったが、一九世紀後半には北西ヨーロッパでは女性が労働の現場から離れ、家事労働に時間を費やすようになる。理由は男の労働賃金が上がったからだ。だが衛生環境が改善されたわけではなかったから、健康を収入の増加に比例して買うことができなければ、主婦が家族を感染症から守るために、掃除・洗濯・炊事そして育児などに時間をさいたほうが効率良く健康になると判断し、女性は労働市場から消えた。だが二〇世紀半ばに戦争が再び女性を労働者として復活させ、女性が消費財を市場から購入するようになる。この二〇世紀の勤勉革命はコマーシャルが後押しした。

勤勉革命から生産革命が起こり、工業製品は家庭にあふれたが、女性労働者の数が減った。だが感染病は清潔、感染防止にさく時間を女性の手に取り戻させ、産業も感染防止に役立つ家庭環境を約束する工業製品の生産に舵をきった。それは、清潔、簡素、掃除しやすい家具、床、ツルツル、ピカピカ、白い、などのモダンなデザインとして結実した。感染予防という健康願望がモダンを目指す住宅と生活用品を生み育てたようだ。

勤勉革命から産業革命に、それが健康に結ばれてモダン・デザインに至った。

28章

家電は女性を解放したか

グロピウス——女は建築家に向いていない

第一次世界大戦中には男は戦場に行き、平和時に男が働いていた職場で女性が働き、ドイツの女性は自立した。とはいえ、女性の戦後の新たな職場は秘書、店員、電話交換手、事務、などで一九三三年には労働人口の三六％が女性だった。

だが男社会は、女性の進出を歓迎しながら、経済と社会の安定が損なわれるのではないかと危惧し、戦争が終わって兵士達が帰宅してまもなく、家庭での女性の役割は社会の安定に必要だ、と女性の社会進出に背を向けた。専業主婦という家父長制はかなり根強かった。とはいえ四年間もつづいた戦争で多くの若き男性の命が失われ、独身で職業人として自立しなければならない女性も多かった。

バウハウス一〇〇周年記念でドイツとフランスのテレビ会社が共同して制作した、四五分、四回の番組中、バウハウスのセミドキュメンタリーの一場面で、男性社会だった当時の家庭をえがくシーンがあった。女性の織物工房マイスターの一人、ギュンタが父親に、女は、ことにわが家のような階級の女子が、職業訓練のような学校で学ぶとは何事か、と叱られ家に閉じこもって泣き崩れるシーンだ。強烈な反対を押し切ってのバウハウスだった以上、彼女はなにがなんでも成功しなければならなかった。女子学生と女性教員の数を比較するだけでも、当時の社会、ましてやバウハウス内部の性差別がわかるシーンだった。

グロピウスは女性建築家の養成はしなかった。開校当初、グロピウスは女子学生の入学に制限をするつもりがなかったのは声明からわかるが、開校直後から女子学生の受け入れは、学校存在にとっての不利益になると、制限する口実をさがす。グロピウスの最初の声明では「可能な範囲で、バウハウスのマスター評議会によって事前の訓練が充分であると見なされれば、年齢や性別の違いなく能力次第で男女の別なく入学できる」はずだった。グロピウスは女性の数は男性の三分の一を望んでいた。というのは女子学生が多いと学校の評判が悪くなるのでは、と恐れたからだ。

しかも、グロピウスは「大工仕事などの工芸品の作業は重労働です。女性にはお勧めできません。そのためバウハウスでは、主にテキスタイル作業に専念する女子学生専用のセクションが開かれています。製本や陶芸の工房も女子学生を受け入れていますが、原則として女性建築家の育成には反対しています」とも宣言した。

バウハウス唯一の女性工房

バウハウスに女性マイスターが生まれたのは女子生徒が学ぶことができた織物工房だけだった。理由は、この工房だけが、バウハウス以前にあった美術学校の工房として残り、織り機はあったが教員のなかに織物の専門家がいなかったからだ。これはチャンスでもあった。学生達は自由に外部の専門学校で染色と織りの技術を学びながら、実験的な作品をバウハウスで織ることができた。開校時には九五名だった女子学生は、三年で五二名に減り、なおその数は一九三三年には二五名だった。この工房だけが他と違い一四年間続いた唯一の工房だった。ミース・ファン・デル・ローエが建築教育に重点を置き、女子学生は建築関連の授業を受けることができなかったのも原因だった。バウハウスで「建築・インテリア・デザイン」の分野で卒業証書を得た女性は、わずか四人。

ドイツは第一次大戦前に工業生産高ではイギリスを上回り、そのためにサラリーマン（民間企業と公務員）は就業者総数の一七％になり、女性はそのうち三〇％を占めた。だから女性を家事（掃除洗濯料理子育て）から開放しなければ、という思想が住宅に反映されるのは社会主義を目指した当時の理想の一つだった。だが労働者としての女性像は社会から歓迎されなかった。

家電製品は誰のため

女性解放のために、家事をこなす機械器具が生まれたかといえば、それは間違いだ。なぜなら、家事を女性だけがする過酷な労働とするのは正しくない。階級制度がある社会では、現在でも家政婦、お手伝い、乳母、という職能が生きている。中流階級の女性は、掃除機や洗濯機、食器洗い機などは自分ではつかわない。高価な機器を買い入れるよりお手伝いさんの給与のほうがはるかに安いからだ。一九二〇年代でさえ企業が提供する労働者向けの住宅にも女中部屋が、社会主義の建築家の住宅計画にも女中部屋がある。便利で、主婦の手が省ける電気器具を必要としたのは、豊かではない家庭だった。それまでお手伝いさんだった人々が工場勤務を選び、家事をする時間が少なくなって必要となったのが家事労働を助ける器具だった。

モダンな家屋にモダンな電気器具が、モダンな台所が生まれたのは、収入の少ない労働者の、階級社会の底辺に生きる主婦のためだった。それは、今でも変わることはない。

ちなみに、二〇一八年、パリで五〇年来の友人女性から、洗濯機がソックスを食べて出てこないと電話があった。急ぎかけつけると、回転ドラムにソックスが張り付いているだけ。彼女は七〇歳になってお手伝いさんが急遽ポルトガルに帰郷したために、生まれて初めて洗濯機のボタンをおしたという。他の家庭でも台所に食器が山のようにつんであるので、手伝おうか、と申し出たら、明日お手伝いが来る日よ、と。夕飯に招かれても後片づけが大変だろうと配慮して来客が皿など洗ってはいけないのだ。これがヨーロッパで暮らすとき、異なる文化の人間が知らなければならない慣習だ。ヨーロッパの中流の家庭に家電製品があっても、購入は主人だが使うのはお手伝いさんだけ。もっと顕著な例は、最新のダイソン掃除機の売り上げの上位は日本を含むアジア諸国という現実だ。つまり大半の主婦が家事を自ら行う文化圏だ。

家電製品完備で便利で衛生的な個人の住宅とは、社会主義的な平等の精神が望んだことではなかった。恵まれなかった階級への配慮、という社会主義的ユートピアが生んだ二〇世紀初頭の夢にすぎない。

その証拠に、社会主義をめざしたソビエト時代のユートピアでは、エンゲルスの理想に従い、家事という重労働から女性を解放しなければ社会主義革命は完成しないと、共同台所、共同風呂をもうけ、個人の住宅から台所と風呂場をなくした。家族という単位での生活ではなく、コムーネと呼ぶ共同作業として家事、育児をする、と定義した。つまり、エンゲルスは家族という単位の営みを否定し、それを建築に反映した。社会主義的ユートピアでは個々の家庭が家電製品を備える必要はなかった。

29章

モダンと女性——モードが先行したモダン

女はズボン禁止

一九世紀末にドイツ語を話すヨーロッパの地域、ことにワイマールでは社会主義に目覚め、自立をめざす女性が多かった。というのは一九一八年にドイツ女性にも参政権が認められ社会進出が一気に加速したからだった。給与は男性より低かったが、経済力をつけた女性は、ナイトライフやスポーツを楽しんだ。

その女達をneue Frauen（新しい女性）と呼び、コルセットをはずし、スカートを直線にし、ドレスも直線にし、時にはズボンを履いた。女性のズボン姿は日常では珍しいというより異常だったが、それゆえ映画では頻繁に美女がパンタロンで登場する。かかとのない靴、ヘアースタイルはボブ。そんな女性の憧れはマレーネ・ディートリヒだった。映画「モロッコ」では黒いシルクハットにタキシード、「恋のページェント」では軍服と男装をして観客を喜ばせた。とはいえ現実の世界で女性はとりあえずの自由を手にしながら、やはり家父長制度に悩んだ時代でもあった。

モダンと女のズボン禁止――二〇一三年まで

パリでは女性がズボンを履く、などということは道徳に反する禁止行為だった。女性がズボンを履かなければならない時（自転車運転、乗馬、スポーツなど）には、地元の警察に許可願いを出さねばならない条例があり、なんとその条例は二〇一三年まで続いた。自由、平等、博愛、というフランス革命で謳われた平等に男女の服装の平等はなかった。

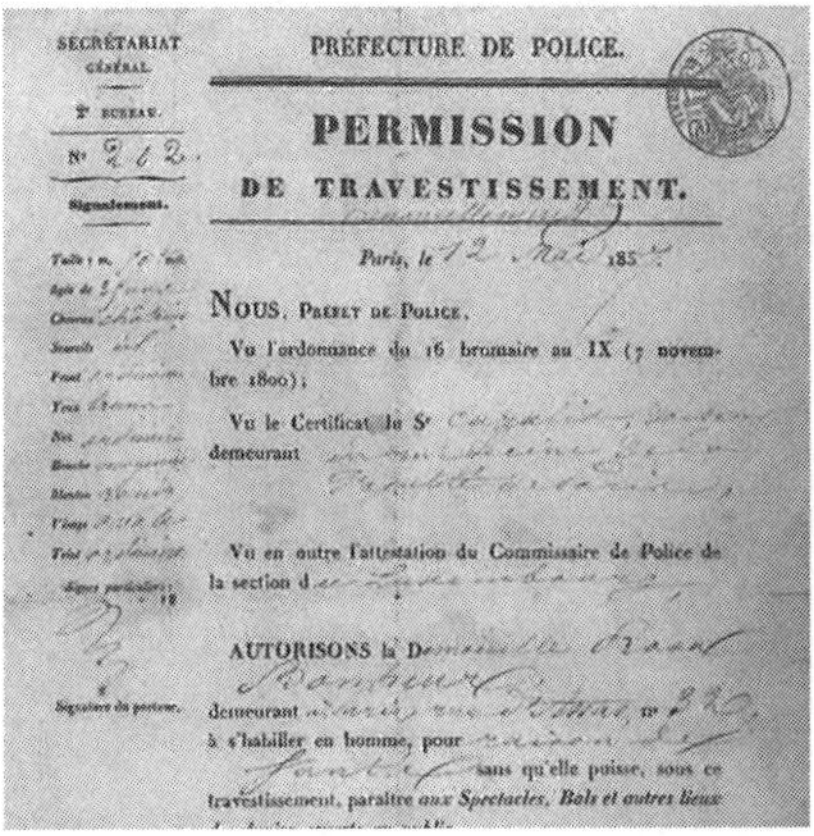

SECRÉTARIAT GÉNÉRAL.
2e BUREAU.
PRÉFECTURE DE POLICE.
PERMISSION
DE TRAVESTISSEMENT.
Paris, le 12 mai 185
NOUS, PRÉFET DE POLICE,
Vu l'ordonnance du 16 brumaire an IX (7 novembre 1800);
Vu le Certificat du Sr
demeurant
Vu en outre l'attestation du Commissaire de Police de la section d
AUTORISONS la Demoiselle
demeurant
à s'habiller en homme, pour
sans qu'elle puisse, sous ce travestissement, paraître *aux Spectacles, Bals et autres lieux*

パンタロン着用許可書。1857年、パリ市パリ市警察署発行、男装して祭りに参加するという理由で許可する。

フランス革命（一七八九～一七九九年）直後の一八〇〇年一月七日に制定されたこの女性が男性と同じ服装を着てはならない、という条例は二〇一三年もかかってやっと実質的廃止となった。ということは男装して革命のために活躍した女性が多くいたからできた条例にちがいないが、本当は早く女性に家庭に戻って欲しい男性社会の保守性ゆえだっただろう。ただしスカートの下に履く、

ポールポアレ、家具アールデコ、ファッションは帝政風、ギリシャ風の直線モダン。1911年

アールデコの家具。ボブカット、タバコ、1910年代のファッション。

下着としてのズボンは禁止されなかった。

男装の麗人として知られた作家ジョルジュ・サンド（一八〇四〜一八七六）もアンドル県の県庁に出向いて許可をもらっている。この条例があいかわらず有効であっても一九〇〇年にポール・ポワレは貴族階級がまだコルセットを着ていた時に、女性のズボンをデザインし、シャネルは一九一五年にメリヤスニットで男性的なスーツをデザインし、自転車やテニスに適したパンツ・スタイルは瞬く間に女性たちに支持された。

言うに及ばずイヴ・サン＝ローランは一九六六年に女性用タキシード、翌年にパンツスーツを女性解放に捧げ、ピエール・カルダンは男性の服に女性らしさを加える、という偉業をなしとげている。これが二〇〇年間パンタロン着用禁止条例にめげなかったフランスファッション産業の姿だ。

ポール・ポワレがコルセットを排除した理由

は、一九〇九年にパリで初公演されたロシア・バレエの衣装に強く影響を受けたからだった。ロシア・バレエの公演には、パリではピカソなど前衛アーティストが音楽、舞台背景、カーテン、衣装、ことにオリエンタルな衣装を舞台で繰り広げ、アーティスト達は協力してモダンを指向した。

一九六八年五月、社会を騒がせたフランスの大学生達が立ち上がった五月革命でも、当時のパリ知事にパンタロン着用禁止条例を廃止するよう要請をしたが、「モードは予測不可能な変化がつきものであり、いつまた話題になるか分からない不確実な事象によって条例は変更しない」と一蹴された。

やっと二〇一三年に出た条例廃止にたいする意見書の返事には、「この条例は、フランスの憲法とヨーロッパの公約に謳われている女性と男性の平等の原則と両立しない」、「この非互換性から、一一月七日の条例の暗黙の廃止が生じ、したがって法的効果がなく、パリ警察署によって保管されているアーカイブ文書のみを構成する」と返答があり、やっと公式にフランス女性は恐れることなくパンタロンをはくことができた。どうにも歯切れのわるい廃止だった。しかし、ここまで放置していた理由は、現実にこの禁止を有効にしなければならない事件が起こるかもしれない、と為政者が危惧したからだろう。ともあれパンタロン着用とは、心もシルエットも、女性がモダンを指向していたことを指し示す。

ドイツでもパンタロン着用はあったが、それが禁止をかい潜ってではなく、珍しいモダンなファッションとして社会が認識しただけだった。フランスと異なりドイツが世界的なファッションに影響を与えることはなかったが、一九一八年の第一次世界大戦の大敗でドイツ帝国は壊滅し、その後に自由なワイマール共和国が生まれ、その首都ベルリンは享楽の街となった。といってもモードはパリの流行が雑誌を通して浸透していたからモダンになりたかった若い女性が〈neue Frauen〉となって青春を謳歌した。

モダンが生んだ女性アーティスト

女性が芸術家になる公立教育の門が開いたのは、ロシアは一八七一年、フランスでは一八九七年だった。とはいえ、女性だけが入学できるアトリエに限って。ドイツのワイマールという都市では一九一九年に入学許可がでた。まさにバウハウス開校の年だ。だからアーティストを育てる学校ではなかったが、多くの教員が画家だったバウハウスは、女性にとってのチャンスだった。やっとアートに近づける道が見えた。なぜグロピウスが女性入学者の数に頭を抱えたかは想像がつく。才能さえあれば性差別はしない、と宣言しながら、少数の女性を織物のアトリエでしか受け入れなかった背景には、教育制度も社会もまだ女性の社会参加には熟していなかったからだ。

それ以前に、女性が芸術家になるには、男性の教師について個人指導を受ける、絵画のサークルに入る、家族の画家と生活をしながら学ぶ、という方法しかなかった。だが、国外、ことにパリで最も有名で前衛的な教育機関にはいるのはだれもの憧れだった。ボーザール（芸大）もそうだが、ロダン・アトリエ、アカデミー・ジュリアンなどが外国人のあこがれであり、ここでは女子でも裸婦を描くことができた。ドイツでは禁止され、モラルに欠けると見なされた。女性が建築家になる、など誰も想像さえしなかった。

ヨーロッパで女性の参政権獲得と同時に女性の三分の一が職業人となった。もちろんモダンを目指した独身女性は、フランスでは〈ギャルソンヌ〉(少年)、ドイツで〈neue Frauen〉とイギリスで〈フラッパー〉と呼ばれ、少年に見えるファッションに身をつつんだ。軽いファッションで、短い髪形でタバコを吸い、スポーツを愛し、金持ちの両親がいれば車を運転し、飛行機の操縦もするモダンな女性が現れた。スクリーンではグレタ・ガルボやディートリヒなどがその象徴だった。

ロシアから構成主義のアーティストがヨーロッパに亡命してきたころ、機械時代の自動車、飛行機、工場などが女性の生活を変え、職業婦人としての自由もあったが、大戦が終わった一九一八年には、女性は家庭にもどるべき、という風潮がでた。主婦、母親、夫人への逆戻りだったが、女性のための新商品開発は盛んだった。クリーム、粉、光線で美容、なかでも細身ファッションを着るためには細身の体でなければならず、痩身薬や美容術などが流行った。ところがこの傾向は一九二九〜一九三〇年の金融恐慌で突然社会から消え、ヒトラーの政権獲得が近づくにつれて、女性の行動もファッションも不自由になる。

パリというモードの中心の都で発刊された数多くの、一九一〇年代から一九三〇年代までの雑誌で見せるファッションは、見事にこのモダンで軽快な衣装から保守に移るまでの変遷を描き出している。「少年のような」ファッションという表現にあるように、一九二〇年代の女性は直線的でモダンな装いをした。もちろん中産階級以上の女子に限れば、のことだ。

直線の衣——モダン以前のモダン：マリー・アントワネット

近代ヨーロッパで、最初に直線にちかいファッションに身を包んだのは、ルイ一六世の王妃マリー・アントワネットとヴェルサイユ宮殿に住んだ女性達だろう。一七八〇年ころだった。ただしその姿で街を歩くことはなかった。このファッションは、アカデミックな芸術に寄り添ってうつろう趣味趣向が、権力という魔力に惹かれて変化する姿を描き出している。

直線にちかいファッションは、イギリスあるいはフランス植民地から入ってきた木綿のシュミーズドレス（下着のような）が発端だった。羊毛と麻しか知らなかったヨーロッパ人は、植民地から輸入されてきた安い木綿（キャラコ）を手にとり、柔らかで、薄くで、色彩豊かなプリントの木綿に憧れ、キャラコブームが起こり、同時に植民地の女性が着ていたキャラコのワンピース（シュミーズドレス）がイギリス、フランス女性を虜にした。

木綿という素材の特徴は白を基調とし、軽快で、虫に食われず、なお洗濯が簡単なことだった。毛や麻にくらべて清潔にしやすいことが好評だった。

女性達はコルセットという拷問のような下着に飽き飽きし、シューミーズドレスで気楽に美しく装った。瞬く間に上流階級の好みとなり、ベルサイユというモードの中心に君臨していたマリー・アントワネットの心さえとらえ、彼女はシュミーズドレスを着た肖像画を描かせた。

もちろん絹の豪華な衣装が公の場に出る正装だったから、下着にもちかいドレスを着た肖像は批判を浴びた。

マリー・アントワネットがモードの中心になる前の、フランスのブルボン王朝のファッション産業生みの親はコルベール（一六一九〜一六八三）財務総監だった。昔からあった、毛織物、絹織物、絨毯、ゴブラン織りを助成し、しかも兵器、ガラス、レース、陶器などの新しい産業を興し、国立工場とした人物だ。「フランスにとってのモード産業はスペインにとってのペルーの銀山である」というほど織物産業に力をいれ、リヨンに国立シルク工場をつくり、農村部で養蚕をさせた。

この時代、一六七二年にファッションのイメージが伝わる版画をのせた世界初めてのファッション誌『メルキュール・ギャラン』が創刊された。そのうえパンドラと呼ばれるマネキン人形（原寸大の大パンドラと小パンドラの二種、小パンドラは後にフランス人形になる）にパリの最新流行の衣装を着せてヨーロッパの各国に送り、最新モードを知らせ、パリで流行している最先端ファッションの注文を受けた。パンドラは各国の商店のウインドーにも並び、強力な宣伝効果があった。

もう一つフランス産業振興に重要な役割を果したのは、国王の肖像画だ。ルイ一四世の肖像画は権威を象徴するために飾ったが、同じポーズの肖像画を大小何枚も複製させているのは、写真のかわりに最新の男性モードを外国の王家や貴族達に贈り、注文を取るためだった。そのファッションショーとも呼べるパーティー会場はヴェルサイユ宮殿のガラスの間だった。各国の賓客を招いて宮殿での晩餐会が頻繁に開催され国家の威信を示したが、実はそこに現れるルイ一四世の衣装とアクセサリー、それに寄り添う夫人達のファッションを賓客達に披露するためでもあった。

ルイ一四世の肖像画は、青の絹地に金で百合の刺繍、白い貂のマントウ、白い絹のソックス、一一センチもある赤いハイヒール（王は背が低かった）、絹の縫い取りのあるスカーフ、と絹を中心に豪奢を極める出で立ちだった。ルイ一四世は、絹産業振興のための衣装とアクセサリーという、高額輸出品の生きた男性モデルでもあった。

リヨンを絹の主要な織物産業地にするための手段も巧妙だった。絹はすでに小規模ながらリヨンに育っていた産業だったが、ルネッサンス以来ヨーロッパのファッションの中心、絹織物の生産地だったイタリア、フィレンツェから職人をフランスのリヨンに招き、短期間で職人を養成して第二帝政時代には絹織物の一大産地にのぼり詰め、国内の主要産業となった。絹とともに貴族や裕福なブルジョワジーや外国人がショッピングに訪れるパリは、ヨーロッパ第一のファッションの街となっていった。

ナポレオンとシュミーズドレス――恐怖から逃れるシンプル・モダン

マリー・アントワネットが愛したシュミーズドレスは、フランス革命直後に古代ギリシャの共和制に理想をもとめ、そのギリシャの衣にちかい木綿のモスリン衣装だ。だが、ナポレオンが皇帝だった時代のドレスは何よりも、フランス革命とそれに次ぐ恐怖と殺戮と暗黒の時代を忘れようとする特定のエリートの願いが作り出したものだった。幾重もの下着を重ねた膨らんだスカート、何枚も巻き付けたりぼん、刺繍、そして体を締めつけるコルセットなどの衣装は、王政時代の象徴として嫌われ、危険視されて姿を消す。つまり、貴族階級は、革命で処刑されていった人びとと同じ仲間と思われたら大変という恐怖から、シンプルなシュミーズドレスに飛びついた、と言ったほうがいいだろう。恐怖からドレスをシンプルに着替えて身を守った。その結果ナポレオンとともに女性の衣装はモダンに、直線に近づいた。

一七七〇年代ころからシュミーズ・ドレスは薄ければ薄いほど軽ければ軽いほどファッショナブルだとされ、また薄手木綿の珍らしさと目新しさから一七九〇年以降には木綿は衣装に限らず、カーテンや椅子の布貼り、壁布として、インテリアにも使われた。一八〇〇年にはドレス一着分で二四〇gという記録があるほどだった。極薄モスリン製のシュミーズ・ドレスは、数枚重ねても脚が透けてみえるほどで、その美しさは様々な文学作品でも讃えられてきた。七世紀に唐の都から仏典を求めてインドに向かう中国の玄奘和上は、綿モスリンの美しさを「この布は夜明けのかすかな霧のようだ」と書きとめているほど、アジアでは古代からよく知られた名品だった。

白く、軽快で、洗濯が簡単で、虫が食わず、毛や麻にくらべて清潔にしやすい、つまり白と清潔、がかなう木綿の直線の衣装は、一九世紀の初めに、建築より一歩早くモダンに寄り添った。

身体のモダン、直線の服――ファッションは男から女へ？

一七世紀までは男性のファッションは華やかだった。ところが一八世紀になると女性の衣装の華やかさが増し、ファッションの主体は男性から女性へと移る。アクセサリーも同様に、金銀細工や大きく美しい宝石がある珍品は「男らしさ」のシンボルであり、男性は女性より美しいジュエリーを身につけて優位を見せなければならなかった。ところが、そのアクセサリーの豪華さを女性に移し、ファッションの豪華さも男性がリードすることをやめ、最先端のファッションは女性が担うことになった。

直線、モダンの衣装で。右上はあつらえのための布地。1910年代

　一七世紀までのイギリス、フランスを中心とする紳士の服装は、ルイ一四世に代表されるように花模様に真珠をちりばめたベスト、大粒のルビーの付いた羽帽子、宝石で覆われる靴、というほど派手

これがモード だ「ART GOUT BEAUTE」雑誌のタイトル、芸術、趣味、美が後ろに印刷。男性はスーツ姿、女性は直線のワンピース。

だった。ところがある日イギリスに「お洒落は目立ってはいけない」というお洒落哲学を持つジョージ・ブライアン・ブランメル（一七七八～一八四〇、ボー（伊達男の意）・ブランメル）が現れ無駄をいっさい省き洗練された、黒とダークブルーの服を英国皇太子（ジョージ四世）に着せた。上流階級の紳士たちはすぐに皇太子とボー・ブランメルを真似し、黒を基調とするダークトーンのシックで控えめな服を愛用する、という真似がはじまった。

ブランメルは、もう一つ提案した。これこそモダンの極みだが、毎日入浴、毎朝歯磨き、そして髭剃りを欠かさない、という清潔もこのシックの条件に加えた。トイレさえ家屋になかった時代に、水道も無かった時代に、清潔とはほど遠い時代のダンディーであるためには清潔でなければならない、という条件は、他のなによりもきつかったに違いない。だが木綿を選んだ清潔願望と手をとりあい、紳士のモダンにも清潔が君臨する。

現在、公式の場にいる世界中の男が見せる、ダークスーツに白いワイシャツというスタイルはこのときから始まり、男性の簡素と直線は二〇〇年間以上も変わることなく現在に至っている。だがダンディーに装ったところで、他人との差こそ見せ場、と豪華な飾りのアクセサリーで金持ち効果を放棄したわけではなかった。男の豊かさの見せ場は、連れ添う夫人にのりうつり、女性をアクセサリーとする慣習がここで始まった。だから、女性が金銀宝石のアクセサリーを身に付けることになる。ダークスーツと、男性のアクセサリーとしての着飾った夫人のカップルが登場する。

清潔で、簡素で、装飾がない直線的なモード、という意味の男装のモダンが登場したのは、女性のモダン、シュミーズドレスから一五〇年遅れだった。

建築家の視野になかったファッション——柔らかい殻

建築は人体を保護する。身体を石、レンガ、ガラス、鉄など固い殻が保護し、さらに身体を布が保護する。人間は二重の殻で囲まれながら、どうも建築家は柔らかい殻、ファッションに冷淡だ。

いやル・コルビュジエは装飾を攻撃するためにきらびやかな女性のドレスを例に語る。そのル・コルビュジエは左目が不自由だったことを逆手にとって太くて丸いフレームの眼鏡とボウタイの組み合わせをお洒落とし、スーツ姿で写真に写っている。だが私生活ではジャカード、毛のスーツ、無地にみえるドビー柄のシャツなど柄物もあり、衣服では装飾嫌いではなかった。

ル・コルビュジエは真っ白な壁によりそう、自分自身の姿を思い描くことがあったのだろうか。それとも施主の家族がどんな衣装で無装飾のモダンな空間で暮らすのか、を想像したのだろうか。

アドルフ・ロース
建築は固く、衣装は柔らかな身体保護で、建築と衣装をフラットに結んだ建築家。依頼された邸宅の住人のための衣装もデザイン。

もう一人のモダンの権化、わざわざ仕立てのよいロンドンでスーツを注文したお洒落のアドルフ・ロースも装飾のあるドレスをまとう女性を野蛮、未開と決めつける。男性建築家がスーツしか着用しないのは、モダン、無装飾でなければならないからだろうか。

柔らかい殻を意識した建築家

ホフマンはストックレー邸を建てたとき、インテリアから食器、文房具などの日用品のすべてを分離派の仲間とデザインし、なおアールデコ風の直線的な衣装もまたデザインしているが、これは例外なのだろうか。いや大富豪のための住宅の建築依頼の内容には、衣装もまた含まれるのが一九世紀末の建築の仕事だったようだ。

もう一人、建築と衣服を同等に考えた建築家がいる。それは「装飾は悪」で驚かせたアドルフ・ロース。彼は服装にも「装飾は悪」をつらぬく。ロースは「紳士のモード」を書き、建築と衣服を身体を保護する殻と宣言する。「もっとも目立っていないときが現代にふさわしい、衣服のありかただ」。しかも「個人個人がしっかりした個を確立し、人間の個性が非常に強くなったため、もはや服装で個性を主張する必要がなくなったのだ。無装飾とは精神の力の証である」。さらに「私がいま着ている無装飾の上着こそ、われわれの時代精神にもとづいてつくられているのである」と。珍しくも建築家ロースは、英国のダンディー、ボー・ブランメルの流れに忠実な、建築を特権化しない建築家だった。いや、ホフマンもロースもウィーンで一八七〇年に生まれ、オルブリッヒも一八六七年チェコに生まれたがウィーンで活躍した。一九世紀末はありとあらゆる生活用品を含んだ建築家としての仕事にファッションもあったようだ。

とはいえ、写真に残る建築家自身のファッションはスーツの一言につきる。労働者向け住宅にどんな衣装の住人がすむか、などいったことに気を配ることはなかっただろう。

いや、時たま白くて四角なモダン住宅の玄関に人間がいる写真があれば、それはほとんどスポーツ、自転車、自動車、と一緒だ。スポーツのための着衣はモダンの象徴だったにちがいない。ともあれ人間を守る固い殻と、柔らかな殻、その二つの関係にこれから建築家が眼をむけることはあるだろうか。

30章 女性解放の住宅のゆくえ

社会主義のユートピアとの別れ

レーニンは女性が家庭内の隷属的な労働から解放されなければ、社会主義国家の建設は不可能だとした。その思想をくんで、バウハウスでカンディンスキーの後継者となったモイセイ・ギンズブルグと友人イグナチィ・ミリニスは、モスクワに労働者のために量産可能な壮大なアパート「ナルコムフィンビル」を女性解放のために建てた。

アパートは一九二九年に完成し、構成主義の傑作と言われ、陸屋根で一連の連続横窓などがある。ギンズブルグはここで「ドム・コムーナ」（共同の）クラブ、食堂、洗濯場などを配置して、社会主義住宅の原点を提案した。

「ナルコムフィンビル」共同住宅は、財務省の役人の住宅だったが、高い階級の役人の建物にはフランクフルト・キッチンユニット、家具を組み込んだプライベートな部屋、陸屋根にサンルームや庭園などの共同施設、隣の別館に共有のレストラン、共同キッチン、フィットネスセンター、図書室、保育園などがあった。

家族用のアパートにはキッチンとシャワールームがなかった。主婦が料理や掃除などの労働をしなくてもいいように、階下の大食堂で、平日は職場のカフェテリアで食事をし、共同のシャワールームとキッチンは廊下にあった。

ギンヅブルグのナルコムフィンビル、1930 年、モスクワ

個人のアパートは二・三×二・七ｍの寝室だけで、ベッド以外の家具はなかった。アパートの共用廊下が通路であり、シャワールームであり、食堂、共同キッチン、レクリエーション・ルームとして機能した。極度に簡素なアパートは、ベッドを詰め込んだだけの巨大な空間だった。

巨大な個人アパートには横一連続窓と長いバルコニーがあり、スポーツジム、屋上庭園などがあるのは、ル・コルビュジエのユニテダビタシオン（一九四五年～一九五二年）のヒントになった、と言われている。

共産主義という当時のユートピアは国民を良き労働者にしようと、女性から家事を削り台所のない住宅を提案した。

メリニコフ、自邸、1929

だがナルコムフィンビルが完成した数カ月後に党の政策は劇変し、生活様式、子供育て、食事、家族団欒、を国家の方針で組織することをやめ、アパートには台所がついた。家庭生活と家族政策は、国家政策の外にあると判断し、社会主義のユートピアと決別した。

「ナルコムフィンビル」その後

ベルリンオリンピックのグラフィックデザイナーであり、バウハウスの意思をついで創立したウルム造形大学の創立者オテル・アイヒャーが、一九八〇年のオリンピック準備のために、モスクワを訪れた。一九二〇から三〇年代に建設した構成主義の住宅を修理し公開する企画が胸にあった。おそらくヨーロッパの観客の多くが訪れる観光名所になると考えたからだった。ロシアの構成主義の建築がどれほどモダン建築に大きな影響を与えたかがわかる書類を用意していった。ところが、驚いたことに一九七〇年末でさえ、ソビエトの担当者は、スターリン時代の様式を最上のものとしていたのだ。モスクワのギャラリーで、構成主義の画家、彫刻家、建築家などの資料が数多く見つかったが、ギャラリーの主人でさえ、フルシチョフの時代になっていたというのに、この企画は陽の目をみることはなかった。フルシチョフは装飾の多い様式の建築を砂糖菓子のようだ、と批判していたにもかかわらず。

せめて現存の建築家のひとり、メリニコフの家を尋ねてみた。だが彼は隠遁生活をおくり、彼の名前を口にすることさえはばかられる雰囲気だった。もしもメリニコフの親しい友人が一緒でなかったら、家のドアは開かなかった、とアイヒャーは回想している。

「ナルムコムフィンビル」はもとより、労働者クラブも、コルビュジエの建物も、構成主義を代表する全てのモダンな建物は無残な状態だった。「ナルコムフィンビル」の建築家、ギーンヅブルグでさえ、古典的な様式の建築家に変身していた。

（現在、一九二〇年代の構成主義の建築のいくつかは改修され見学可能になった）

31章 規格化——戦争か平和か

グロピウスの選択

一九一四年のドイツ工作連盟ケルン大会で「規格化か個性か」（Typisierung oder Individualität）で激論が沸騰し、連盟会員は二派にわかれた。グロピウスがアンリ・ヴァン・デ・ヴェルデが掲げた「個性」に加担したかにみえたが、結局ムテジウスの「規格」つまり工業化を選び、バウハウス教育に反映してドイツ産業振興に貢献した。

ムテジウスは、「ドイツ工作連盟は『規格化』を通して工業の発展に寄与すべき」と発言した。だがヴァン・デ・ヴェルデは芸術家の「個性」を大切にと主張し二人は対立。当時、ヴァン・デ・ヴェルデはザクセン大公に招かれワイマールで工芸ゼミナールを主催し、やがて工芸学校長になったが、校長職から去り、第一次世界大戦（一九一四〜一九一八）で敵国となった祖国ベルギーに帰国直前だった。つまりドイツ工作連盟でのヴァン・デ・ヴェルデの開会宣言が五月一五日。そして八月八日に宣戦布告がでた。まさに混乱の最中の議論だったのだ。ヴァン・デ・ヴェルデは一九一五年にドイツを去る。

建築家のグロピウスはスタンダードな部品で合理的にプレハブ住宅を建てる夢をみていた。だが規格化に賛成しなかったのは、ヴァン・デ・ヴェルデが工芸学校長候補を三名推薦し、彼自身がその一人だったことを知っていたからに違いない。そして戦争を目前にしたドイツ産業を指導する立場だったムテジウスは、二〇世紀初頭にイギリスを抜いたドイツ産業を、アメリカと同等にしようと必死だった。手仕事（個性）か、機械仕事（規格）か。ドイツ人ムテジウスは産業で、ベルギー人ヴァン・デ・ヴェルデは手作業で戦った。ドイツは、産業の戦いで経済的な成功を計ったのだ。それ故この分裂は、戦争か平和かの選択でもあった。機械を選択することは、シンプルな形で表面は滑らかがいい。デザインがシンプルを求めたのは、モダンの理想が「装飾は悪」に賛同しただけでなく、産業界を説得しやいスローガンだったからだ。

グロピウスが「芸術と技術の総合」と繰りかえし発言するのは、一九一四年の二人への配慮を心に秘めてきたからだろう。グロピウスには人を選ぶ抜きんでた才能があった、という証言は正しい。

第一次世界大戦で敗戦国となったドイツは、なにがなんでも産業を復興させなければならなかった。植民地が少なかったこともあり日常食品にさえ事欠くほど貧しかった一九一九年、敗戦の翌年にバウハウスが生まれ、だからこその産業振興、だから規格化は必須だった。

アメリカに学ぶ

規格化は、一八五〇年代のアメリカ兵器産業コルト社の量産部品の規格化と、戦場で修理できる部品の互換性に原点がある。その規格化、相互交換方式は兵器からミシン、そして自転車、自動車にと展開した。ベルトコンベアー方式は穀物の製粉と屠殺場を見習った。作業員ではなく穀物や解体動物が動く方式を学んだ、というから面白い。しかも同時期にテイラー方式という効率良く働くための作業分析が生産高を飛躍的にのばした。規格化と標準化の王者フォードのT型が一九〇八年の発売当初から、人気を博した。ル・コルビュジエでさえ、フォードのかわりに、シトロエンをシトロアンと改名し「シトロアン型標準住宅」を一九二〇年に提案するほど合理的で安い住宅に憧れ、フォード病はモダンを目指す建築家を襲った。(一九二九年のアメリカ自動車生産量が年間五三六万台、ドイツ全体で四二万台)

バウハウスの一九二三年の展示会で披露された実験住宅「ハウスアムホルン」のシステムキッチン、後にフランクフルト・キッチンにまでテイラー方式が及んだのは身近かな例だ。

電機産業はといえば、ジーメンスとAEGの二大支配体制だったドイツの標準化は早かった。この二大巨頭の一つAEGにベーレンスが顧問として雇われたのが一九〇七年。彼が規格化、標準化をどのように展開したかを、ベーレンスの事務所で見習いとして働いていたグロピウスとル・コルビュジエは見聞きしたはずだ。

一九一七年のドイツウエルクブンド（アーティストと産業界）での「規格化か個性か」論争は高品質な製品で成功の道をあるいたドイツ工業製品にとって重要な再出発の儀式だった。芸術家、デザイナーの才能が二〇世紀の新しい時代の様式、モダンの美を生み出す、と願ったからだった。

混乱と貧しさから

第一次世界大戦中の一九一七年、ロシアに一一月革命が起こり、直後の若者、ことにアーティストは熱狂した。レーニンの元でアートこそ教育も経済的余裕がなくても、世界を変えると信じた。芸術家たちは過去を否定し、工業的な鉄やガラスなどを使って抽象的な構成を表現した。彼らはロシアの経済発展には工業の進化が必要だ、と強調した。スターリンに追われてロシアの前衛アーティストの多くがロシアを離れ、バウハウスの教員にもなった。彼らの抽象的で構成主義的な表現はヨーロッパを魅了した。ロシアで彼らの建築に労したエネルギーは多かったが、ドイツのウェルクブントとは異なり、ブフテマスとロシア産業界との関係は貧しく、後世にのこる量産品は生み出せなかった。

前衛の芸術家、建築・工芸家達は第一次世界大戦の悲惨とロシア革命の結果、過去を捨て幾何学的で、純粋な造形にたどり着いた。ブルジョワ趣味を否定し、なぜ幾何学的になったかといえば、高級な素材、堅牢な木材、金銀、大理石、皮革などが植民地から安く輸入できなくなったからだ。だから建築では手元にある資源を、シンプルにして少量で、機械加工が簡単で、スタンダードにすれば、建築費用が安くなると悟った。つまり、資源不足と貧しい労働者階級のためのシンプル、貧しさゆえの規格、貧しさゆえの量産にふさわしい機械加工、それが二〇世紀初頭のモダン建築の原点だった。

豪奢で記念碑的な建造物を造るチャンスは少なくなり、戦後に帰還してきた大量の兵士、そして工場労働者のための住宅、という建築家にとって不名誉な仕事しかなかった。それでも社会主義という新たな思想、ユートピアに賛同しながら、建築家そして労働者という新しい階級を抱えた進歩的な産業界、そして未来を見据えた政治家が後を押してモダンという未来は開花した。

バウハウス批判——モダンは暴君、刑務所に装飾を

モダンというユートピアを実現した建築家は暴君ではなかったか。団地には数百もの同じような家屋を並べ、歩いてもどこにいるのかわからない。ル・コルビュジエのように、パリ、モスクワ、ベルリンなどの都市を平らにして、高層住宅の塔を格子状にするような計画を立てた。人間的尺度と言いながら住民の個人的な存在を無視し、一九二五年の「建築憲章」には、一人に必要な住空間体積数などと数字を並べた。

それらを端的にバウハウス建築を例にした冗談も多かった。例えば風刺作家、トマス・テオドール・ハイネ（Thomas Theodor Heine）がドイツ一九三二年の風刺漫画雑誌『ジンプリチシムス』（"Simplicissimus"）に「新しいバウハウス・スタイルは、アパートと刑務所を区別するすべてのものを

消しました。したがって、秩序ある刑事システムのためには、これからは刑務所に装飾をつけ加える必要があります」と皮肉った。

一〇〇年前のモダンな建築は、ユートピアに見える。そう思えるアングルの写真しか残っていない。写真をみるかぎりそこには貧困も何もなかったかのようだ。とはいえ、第一次世界大戦後には、モダンな建築物や住宅の隣には伝統的な建物もあったし、モダンと古典混合の建物もあった。だがモダンな建物は安い建材で短期間で造ったために、色あせ屋根は朽ち果て、床がめくれ、壁は落ち、住人が改造し穴をあけ、原型をとどめるのは難しく、モダンを標榜した住宅は短命だった。だが州政府は「その一部だけでも改修し歴史遺産として残したのは、ギリシャローマの歴史遺産と比較できるほどの文化遺産だ」と胸をはる。その見解はドイツという国家の文化に対する姿勢の表れだ。

ドイツ政府はバウハウス一〇〇周年の前に、バウハウスは最高の輸出品、とほめたたえ、記念行事予算を計上した。

一〇〇周年を記念する『ル・モンド』紙の記事はバウハウスを次のように讃えた、「一〇〇才になっても皺ひとつない」と驚嘆の言葉で。だが、一〇〇年間変わらなかったのは、外側の建築だけだ。他の芸術文化、文学、絵画、彫刻、音楽、演劇、映画、コミュニケーション手段、衣、食、家族構成、労働のありかた、交通手段など激変したというのに、箱はそれらを反映しないままだ。グロピウスの言う技術とアートの総合である建築という箱だけが一〇〇年前のまま残った。

データはポストモダンの次に

もうバウハウスでなくてもいい、とイタリアからデザイン界に旋風を起こしたポストモダンが影を潜めて三〇年。替わって登場したのが、コンピュータを搭載した機器のデザインだ。外形がシンプル・クリアと言う点ではバウハウスの幾何学的デザインだが、予想もつかなかったデザインが進行しつつある。例えば、一人が一日に三時間から七時間も使うというスマホのデザインは、百貨店の売場面積にどれだけの店舗を詰め込むかの解答と同じだ。商店であるボタンは見分けられればいいだけで、形は地主のアップルが決める。ボタンの地下に各店舗の商品展開（ウエブサイト）があり、これがデザインの対象だが外から見えない。

つまり、スマホとはデザインの階層が幾重にも重なった工業製品だ。時間感覚と触感、一〇本の指すべてが稼働する未知のエルゴノミックな解決を要求する。ウエブサイト自身が使い手に機能をカスタマイズさせるから、角、丸、白、金属色など外形と色彩などどうでもいい。これまでの一方向の情報伝達機器ラジオやテレビは電話（スマホ、コミュニケーション器具）の前にひざまづいた。

今後、家電製品も車も住宅も家族構成、使い手の加齢、障害、転居後の環境、などに寄り添いカスタマイズされるだろう。デザインと生産が直接つながり一万個だから安いという量産神話は崩れた。ゲームのデザイナーが建築家になるほうが、その逆よりたやすい。コンピュータ産業が自動車産業はもちろん、あらゆるジャンルの産業に進出するのに驚いてはいけない。

変革は産業の領域だけではない、リチャードボードウインは、もうバーチャル移民が始まった、という。彼はグローバリゼーションから説き起こし、一九九〇年代に通信のグローバリゼーションは、物、人、アイディア、情報の移動が国境を壊し、誰もが自由に安く情報をバーチャルに交換し、特定のリアルなブランドが地上から消え、優位に立つにはどのネットワークの中にあるか、をネット上に絶え間なく示すだけでよくなった。技術者、労働者の「バーチャル移民」が生まれたのは、どこにいても、だれもが、産業と流通にかかわり、顔を向き合わせて知識、ノウハウを伝授しなくてもいいからだ。それ故、互いに遠くから作業を同時に進行できる。だとすればバーチャルデザイナー移民も生じる。ヨーロッパやアメリカの銀行では「ホワイトカラー・ロボット」が働き始め、このロボットは二〇カ国語を話し、数千本の通話を同時に処理する。二〇カ国語を話す「デザイナー・ロボット」の活躍もまもなくだ。ソフトウエア代金と人件費ゼロとの競争はますます激しくなる。

参考文献

「Allemagne 1920 Nouvelle Objectivité」, Centre Pompidou 2022, catalogue d'exposition

「DIE GANZEWELT EIN BAUHAUS」Institut für Auslandsbeziehungen e. V. ifa, entrum für Kunst und Medien, Karlsruh, 25. Oktober 2019（カールスルーエデの講演録）

「Le gout de moyen age au xix siècle reflection autour d· un livre sur George helleputte, 1852-1925」Mihail Benoît, 2000, Persé

「Nach dem Ball: Hannes Meyer stellt das Bauhaus in Moskau vor」BAUHAUS IMAGINISTA Thomas Flierl & Philipp Oswalt (eds.), TATIANA EFRUSSI, 2018

「LE CORBUSIER MEUSURE DE L'HOMME,」CENTRE POMPIDEAU 1975, EXPO CATALOGUE

「Institute Mathildenhoehe Darmstadt」, Museum Kuenstlerkolonie Darmstadt, 1990

「Joseph Maria OLBRICH」Ian Latham 1980, RIZOLLI

「"Bauhaus Dessau. Period of Hannes Meyer's directorship. 1928-1930",」Moscow 1931. John V. Maciuika · by Max Gebhard (1930) for the exhibition catalogue, 2005.

「Une civilisation électrique, un siècle de transformations」Alain Beltran, 1970, fondapol

「Paris-Moscou 1900-1930」, CENTRE POMPIDEAU EXPO, CATALOGUE 1979

「Paris-Berlin 1900-1933」,CENTRE POMPIDEAU EXPO, CATALOGUE 1979

「VOM SOFAKISSEN ZUM STABAU HERMANN MUTHESIUS UND DER DEUTSCH WERKBUND : MODERN DESIGN IN DEUTSCHLAND . 1900- 1927,」City university of New York, 2002

「CHARLES RENNIE MACKINTOSH AND THE MODERN MOVEMENT,」THOMAS HOWARTH, 1977, edi:Routledge Kegan & Paul

「Architecture nel paese dei Soviet 1917-1933」Carlo piovano ITALIA, 1982

「EL LISSINTZKY 1890-1941,architecr, peintre photographe」, MUSEE D'Art Modern de la ville de paris, 1991

「Paris-Paris 1937-1957,」CATALOGUE,CENTRE POMPIDEAU, 1992

「Open Architecture and Urban Studies 9.」2012, MIT Press

「General Panel Corporation,」New York 2021, MIT presse

「L' hygiène à l'Exposition Universelle」Texte et illustrations de “La construction moderne - 1900”

「Before the Bauhaus, Architecture, Politics, and the German」John V. Maciuika, 2005, Cambridge University Press

「Le Bauhaus de Weimar (1919-1925)」 Elodie vital 1995, Editions Mardaga 1995

「Silk and empire」Brenda M. king, Manchester University Presse, 2005

「A Look at the Czech and Slovak Avant-Garde within the Frame of the Bauhaus Network」Sonia de Puinef, 2019, MOMA

「LE MONDE NOUVEAU DE CHARLOTTE PERRIAND」catalogue de l'exposition, Fondation Louis

Vuitton, 2019
「アルファベットそしてアルゴリズム　マリオ・カルポ表記法による建築、ルネッサンスからデジタル革命へ」美濃部幸男訳、鹿島出版会、二〇一二年
「Bauhaus 1914-1933, 1995,」セゾン・美術館、カタログ、一九九五年
『ロシア人たちのベルリン』諫早勇一著、東洋書店、二〇一四年
『19世紀末社会主義ユートピアと現代』荒木詳二著、群馬大学社会情報学部研究論集 第二〇巻、二〇一三年
「ユートピアと現代 国家社会主義　vs 共同体社会主義」荒木詳二著、群馬大学社会情報学部研究論集　第二〇巻、二〇一三年
『文明の海洋史観』川勝平太著、中公叢書、一九九七年
『人間の家』ル・コルビュジエ、F．ド・ピエールフウ著、西澤信彌訳、鹿島出版会、一九七七年
『モホリ・ナジ　視覚の実験室』井口壽乃監修、国書刊行会、二〇一一年
『近代イギリスにおける生活変化と〈勤勉革命〉論——家計と人々の健康状態をめぐって』、永嶋剛著、Economic Bulletin of Senshu University、Vol. 48, 2013
『バウハウスと「ハルモニアの思想」』― Bauhaus and "Harmonia": Where is the Address of "Harmonik"　眞壁宏幹著、国立研究開発法人 科学技術振興、報告論文、二〇二〇年
『モダニズムが見たユートピア、ドイツ田園都市建設の歴史』副島美由紀著、小樽商科大学グローカル戦略推進センター研究支援部門運営会議編、一九九八年
『建築家マルト・スタムの近代建築理念の性格と特徴について』矢代真己著、日本建築学会計画系論文集六六、二〇〇一年

「ウィリアム・モリス『ユートピアだより』」丹治愛著、国立研究開発法人 科学技術振興、報告論文、二〇一七年
『アイリーン・グレイ』ピーター・アダム著、小池一子訳、みすず書房、一九九一年
「ハンガリーの行動主義と機関誌『MA』二つの構成主義を巡って」谷本尚子著、京都工芸繊維大学博士論文、一九九八年
「第3回ドイツ美術工芸展ドレスデン1906年の展示構想と構成、及び出品作に関する考察」針貝綾著、九州地区国立大学関連携論文集、二〇一七年
『世界経済 大いなる収斂~ITがもたらす新次元のグローバリゼーション~』リチャード・ボールドウィン著、遠藤真美訳、日本経済新聞出版、二〇一八年
「モダン・デザインの背景を探る。1920 30年代諸事情 アールデコ再考」塚口眞佐子、大阪樟蔭女子大学研究紀要、二〇一五年
「モダン・デザインの背景を探る 1920年代アヴァンギャルド住宅誕生におけるクライアント像」塚口眞佐子、大阪樟蔭女子大学研究紀要、二〇〇九年
「カレル・タイゲと雑誌『デヴィエトスィル』」現代文芸論、れにくさ（第六号）、阿部賢、二〇一六年
『Le Bauhaus de Weimar (1919-1925) 十九世紀後半イギリスにおける労働者状態』菊池浩三著、光造東京大学出版会、一九七七年
『モホリナジ、ハンガリーの時代1895-1919、行動主義「間」とモホリ=ナジの時代』井口壽乃著、デザイン学研究四三、一九九六年
『近代イギリスにおける生活変化と〈勤勉革命〉論——家計と人々の健康状態をめぐって』「勤勉革命—消費

行動と世帯経済1650年から現在』ジャン・ドゥ・フリース著、永嶋剛訳、Economic Bulletin of Senshu University, Vol. 48, No. 2, 161-172, 2013
『人生の愉楽と幸福―ドイツ啓蒙主義と文化の消費』ミヒャエル・ノルト著、山之内克子訳　法政大学出版局、二〇一三年
『近代日本の経済社会』速水融著、麗澤大学出版会、二〇〇三年
「ヴァイマル期ドイツにおける都市の電化プロセス―フランクフルト・アム・マインを事例として」、森宜人著、社会経済史学、七一－二、二〇〇五年
「ビフォーザバウハウス、帝政期ドイツにおける建設と政治」1890－1920、JOHN V, MACLULKA、三元社、田所辰之助、池田裕子訳、二〇一五年
『「ウィーン工房」にみるウーイーン近代デザイン運動の変遷』角山明子著、デザイン学研究五九巻、二〇一二年
「衛生を建築する、近代的衛生者としてのルコルビュジエ」、森山学著、掲載『10＋1』№10、一九九七年

アドルフ　ルース	グロピウス	ミース・ファン・デル・ローエ	ル・コルビュジエ
0年生まれ　チェコ	1883年生まれ	1886年生まれ	1887年生まれ　スイス
6年　アメリカとイギリス旅行から帰			
		1906年　ブルーノパウルの事務所 1907年　リール邸	1907年　２０才、旅行 イタリア、ブタペスト経由でウイーンへ 1909年　スイス、ラショードフォンに帰る
08年 **装飾は悪」３８才**	**1908-1910年** **ペーターベーレンツの事務所**	**1908-1912年** **ペーターベーレンツの事務所** 1912年　建築事務所	**1910年** **ベーレンツのアトリエで働く** **グロピウスやミース・ファンデルローエも** ・ドイツ装飾芸術調査
9-1911年 スハウス、モダン、装飾ナシ 0年　ウイーン、**シュタイナー邸**、 根、白壁	1910年　ベルリンに建築事務所開設 （マイヤーと共同経営） **ドイツ工作連盟** **1911年　『ファグスの靴型工場』** **1914年　ケルンのドイツ工作連盟博覧会**		**1914年** **・ドミノ住宅研究** ・ケルン旅行 **・ドイツ工作連盟展示会**
1年　市の住宅建設局主任建築家 2年　ルーファー邸 は白い箱に見えるが、インテリアは 石シルクで装飾 は個人の趣味にあわせて 4年　退職　パリに隠居 0年　ミュラー邸，チェコ，プラハ、 才	**1919年　バウハウス学長　36才** **1926年　「デッサウの校舎」** **1927年　ドイツ工作連盟** **1926-1928年　テルテン集合住宅** **1927年　ドイツ工作連盟** **ワイゼンホーフ住宅展** **1928年　バウハウス学長を退く** **1933年　バウハウス閉校**	**1927年** **ドイツ工作連盟** **シュツットガルト住宅展** **1929年** **バルセロナ万博 ドイツ館** **バルセロナチェアー**	**1918年** **・ペレの紹介で、オザンファンと会う** **・ブラック、グリス、ピカソと知りあう** **・左目網膜剥離で失明** **1920年　レジエと知りあう** **1922年　シトロアン邸**
3年　没６３才　ウイーン	1934-1937年　ロンドン亡命 1937年　アメリカ、ハーバード大学教授	**1930年　バウハウス学長** 1933年　バウハウス閉校 1938年　アメリカ亡命 イリノイ工科大学教授 1943年　イリノイ工科大学鉱物金属研究棟	1923年　ラロッシュ・ジャンヌレ邸 1924年　事務所をパリ５区に **1925年** **パリ万博「エスプリヌーボー館」** **1927年** **ワイゼンホーフジードルングに住宅建設 ４０才**
	1945年　共同設計事務所TAC （The Architects Collaborative）設立	他にも1946年以降、１６以上の会館を設計 1950年 ・イリノイ工科大学ボイラー棟 ・イリノイ工科大学ガス工学研究所	**1928年** **・ラサCIAM設立** **・サヴォア邸** ・ペリアンと家具 1930年　ポルト・モリトー集合住宅
	1958年 **超高層ビルのパンナムビル** **（現メットライフビル）**	1952年 ・イリノイ工科大学アメリカ鉄道協会事務所棟 ・イリノイ工科大学カルマンホール 1954年 ヒューストン美術館カリナンンホール **1958年** **・シーグラム・ビルディング** ・ヒューストン美術館キャロライン・ワイス・ロウ棟	1945年　マルセイユ **ユニテ・ダビタシオン** 1946年　サン・ディエの工場 **1950年　ロンシャンの礼拝堂** 1951年　カップ・マルタンの休憩小屋 1952年　チャンディーガールのキャピトル・コンプレックス（インド） 1953年　ラ・トゥレットの修道院
	1960年代、ベルリン南、グロピウス・シュタット	1962年 ホーム・フェデラル貯金貸付組合ビル 1965年　シカゴ大学社会福祉乾期事務棟	1954-1959年　西洋美術館、上野 1953-1965年　フィルミニの文化の家
	1969年7月5日 没８６才　アメリカ，ボストン	1969年　トロントドミニオン・センター 没83才 アメリカ	1965年 カップ・マルタンで水泳中に死亡 没７８才

年表

	ブルーノ・タウト	ユゼフ・マリア・オルブリッヒ	ピーター・ベーレンツ
	1880年生まれ	1867年生まれ　オーストリア	1868年生まれ
1891 | 1900		1897年 ウイーン分離派「手工芸芸術共同工房」 **1899年　ダルムシュタッド芸術家村建設の招致される　３２才**	**1892年　ドイツ工作連盟** 1897年 ミュンヘンで手工芸芸術共同工房設立 ２９才 1898年　「キス」発表 **1899年　ダルムシュタット芸術家村の創設メンバー　31才** 1901年　ダルムシュタット芸術家村展覧会で自邸を出展　インテリアもすべて
1901 | 1910	**1907年** **ドイツ工作連盟**	1902年　開村，展覧会ベーレンツ自邸を除いてオルブリッヒの建築 **1907年** **ベルリン事務所** **ドイツ工作連盟 ４０才**	1902年　バイエルン州立工芸美術館付属工芸専門コースの監督 1903年　デュッセルドルフ工芸学校校長 **1907年** **ベルリン事務所** **ドイツ工作連盟設立に参加** ＡＥＧ芸術顧問就任
1911 | 1920	**1913年** **国際建築博覧会で鉄の記念館** **1914年** **ドイツ工作連盟の展覧会ガラスの家** **1913-1916年** **田園都市ファルケンベルグ住宅**	1908年 ダルムシュタットで最後の展覧会 没４０才	1908年　ドイツ造船展でパビリオン設計 1909年　ＡＥＧタービン工場完成 ドイツ工作連盟で規格化論争 1914年　ＡＥＧと契約終了
1921 | 1930			1921年 デュッセルドルフ・アカデミーに招聘 1922年　ウィーン・アカデミーの建築専門学校教授
1931 | 1940	日本亡命（1933-1936年） 1936年 イスタンブール芸術大学教授赴任 1938年　没５８才		1925年 ・ヘキスト染色工場 ・ＧＨＨ中央倉庫 1936年 プロイセン芸術アカデミーの建築主任 1940年　没７２才
1941 | 1950			
1951 | 1960			
1961 | 1970			

１９１０年前後：モダンを牽引した建築家

AUGタービン工場が完成した1910年ころ、若いグロピウス、ミース、ル・コルビュジエ、の３巨頭は、ベルリンのベーレンツの事務所で見習いをしていた。

同年、ライトはベルリンで作品のポートフォリオを発刊し、ベーレンツはすぐさま手に入れ、アメリカの巨匠のプレーリー・スタイルのプランは、ベーレンツと弟子達の作業の手を１日とめた。

ライトの内と外の出入り自由空間スタイルは新素材と歩みを共にし、モダンを牽引した。

1927年、ミースが主導したワイゼンホーフでの住宅３３棟はコンクリートとガラスの陸屋根の白い箱、水平連続窓、シンプル、と後にインターナショナル・スタイルと呼ばれる住宅の町並みとなった。

「装飾は悪」を叫んだロースの影響も大きく、１９１０年前後の建築家の試みは、暮し方、まで含むモダンを牽引した。

モダンの終わりに

あとがきにかえて、二人の学長、グロピウスとマイヤーの戦いを語りたい。元学長だった二人はドイツを去り、一九三〇年に一人はパリへ、もう一人は一九三一年にモスクワに旅立った。グロピウスはバウハウス展に、マイヤーはバウハウス展とモスクワ改造コンペ応募に。バウハウスの量産品はパリで凱旋したが、モスクワ・ブフテマスでの展示は成功したが、建築でマイヤーの得るものはなかった。

二人が、同時に数千キロ離れた都市で、互いにバウハウスの成果を競い合った目的は、社会主義的なモダンデザインの普及だった。グロピウスは資本主義のフランスで評価され、マイヤーは社会主義のモスクワで退廃した。これはモダンデザインが機能と美を求めても社会経済構造が伴なわなければならない、を知らせる一九三〇年の戦いだった。

現場で資料に当たる、を旨にしてきたが今回ばかりはコロナが、モスクワ、ニューヨークでの資料収集を阻んだのが心残りだ。この出版を快諾してくださった、緑風出版の高須様に心から感謝を申し上げます。

二〇二三年四月

竹原あき子

[著者略歴]

竹原あき子（たけはら　あきこ）

1940年静岡県浜松市笠井町生まれ。工業デザイナー。1964年千葉大学工学部工業意匠学科卒業。1964年キャノンカメラ株式会社デザイン課勤務。1968年フランス政府給費留学生として渡仏。1968年フランス、Ecole nationalesuperieure des Arts Décoratifs。1969年パリ、Thecnes デザイン事務所勤務。1970年フランス、パリ Institut d'Environnement。1972年フランス、EcolePraique des Hautes Etudes。1973年武蔵野美術大学基礎デザイン学科でデザイン論を担当。1975年から2010年度まで和光大学・芸術学科でプロダクトデザイン、デザイン史、現代デザインの潮流、エコデザイン、衣裳論を担当。現在:和光大学名誉教授、元:長岡造形大学、愛知芸術大学、非常勤講師。

著作；『立ち止まってデザイン』（鹿島出版会、1986年）、『ハイテク時代のデザイン』（鹿島出版会、1989年）、『環境先進企業』（日本経済新聞社、1991年）、『魅せられてプラスチック』（光人社、1994年）、『ソニア・ドローネ』（彩樹社、1995年）、『パリの職人』（光人社、2001年）、『眼を磨け』（平凡社、監修2002年）、『縞のミステリー』（光人社、2011年）、『そうだ旅にでよう』（2011年）、『原発大国とモナリザ』（緑風出版、2013年）、『街かどで見つけた、デザイン・シンキング』（日経ＢＰ社、2015年）、『パリ、サンルイ島─石の夢』（合同出版、2015年）、『パリ:エコと減災の街』（緑風出版、2016年）、『袖が語れば』（緑風出版、2019年）、『竹下通り物語』（2020年）

翻訳:『シミュラークルとシミュレーション』（ジャン・ボードリヤール著、法政大学出版局、1984年）、『宿命の戦略』（ジャン・ボードリヤール著、法政大学出版局、1990年）、『louisiana manifesto』（ジャン・ヌーヴェル著、JeanNouvel、Louisiana Museum of Modern Art、2008年）共著:『現代デザイン事典』（環境、エコマテリアル担当、平凡社、1993年～2010年）、『日本デザイン史』（美術出版社、2004年）

バウハウス
――モダン・デザインの源流《げんりゅう》

2023年5月31日　初版第1刷発行　　定価2,800円＋税

著　者　竹原あき子©
発行者　高須次郎
発行所　緑風出版
〒113-0033　東京都文京区本郷2-17-5　ツイン壱岐坂
［電話］03-3812-9420　［FAX］03-3812-7262［郵便振替］00100-9-30776
［E-mail］info@ryokufu.com［URL］http://www.ryokufu.com/

装　幀　斎藤あかね
制　作　R 企 画　　印　刷　中央精版印刷
製　本　中央精版印刷　　用　紙　中央精版印刷　　E1200

ISBN978-4-8461-2303-1　C0070